D0582465

Ça sent la coupe

Matthieu Simard

Ça sent la coupe

Roman

Catalogage avant publication de Bibliothèque et Archives nationales du Québec et Bibliothèque et Archives Canada

Simard, Matthieu

  Ça sent la coupe
  Réédition.
  (10/10)
  ISBN 978-2-923662-05-3
  I. Titre. II. Collection: Québec 10/10.
PS8637.I42C3 2008 C843'.6 C2008-940525-0
PS9637.I42C3 2008

Direction de la collection : Romy Snauwaert
Logo de la collection : Chantal Boyer
Maquette de la couverture et grille intérieure : Tania Jiménez, Omeech
Infographie et mise en pages : Mélanie Huberdeau
Couverture : Alex Pérez de León

Cet ouvrage est une œuvre de fiction, toute ressemblance avec des personnes ou des faits réels n'est que pure coïncidence.

Remerciements
Les Éditions internationales Alain Stanké reconnaissent l'aide financière du gouvernement du Canada par l'entremise du Programme d'aide au développement de l'industrie de l'édition (PADIÉ) pour ses activités d'édition. Nous remercions le Conseil des Arts du Canada et la Société de développement des entreprises culturelles du Québec (SODEC) du soutien accordé à notre programme de publication. Gouvernement du Québec – Programme de crédit d'impôt pour l'édition de livres – gestion SODEC.

Les Éditions internationales Alain Stanké
Groupe Librex inc.
Une compagnie de Quebecor Media
La Tourelle
1055, boul. René-Lévesque Est
Bureau 800
Montréal (Québec) H2L 4S5
Tél. : 514 849-5259
Téléc. : 514 849-1388

Dépôt légal – Bibliothèque et Archives nationales du Québec
et Bibliothèque et Archives Canada, 2008

ISBN : 978-2-923662-05-3

Distribution au Canada   **Diffusion hors Canada**
Messageries ADP   Interforum
2315, rue de la Province
Longueuil (Québec) J4G 1G4
Téléphone : 450 640-1234
Sans frais : 1 800 771-3022

À Brian Skrudland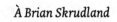

Octobre 2003

Le jeudi 9
CANADIENS 2, SÉNATEURS 5

Dans mon trois et demi, j'ai une télé 51 pouces ;
51 pouces de bonheur, de couleur, de lueur. Lueur bleue
du dimanche matin, 4 h 30, quand je me réveille tout
croche sur le sofa parce que je me suis endormi en écou-
tant la fin d'un match Calgary-Phœnix à CBC. Lueur bleue
du ciel qui se pointe au loin, à travers la fenêtre givrée de
la salle de bain, que je vois en partie du sofa.

Une télé 51 pouces. Assez pour tout voir, le point
noir sur la joue de Jean Pagé, les rides de Madonna, le
regard niais de George W. Assez pour voir les 4 353 spectateurs qui huent Patrice Brisebois, assez pour voir la
puck grosse comme un pneu de pick-up, assez pour voir
le sourire de Claude Julien. Le sourire de Claude Julien ?
Quand ça ?

Je ne sais pas, la saison commence ce soir.

***

Écran plat, émissions plates. Matchs plates ? Peut-être, on verra. Vie plate ? Non, pas du tout. Sauf quand j'ai du ménage à faire, mais dans un trois et demi, c'est pas trop long. Et la plupart du temps, c'est Julie qui s'en occupe.

—Matthieu, il serait temps que tu fasses la vaisselle.

—Oui, je sais. Je vais la faire au premier entracte.

—Promis ?

—Promis.

C'est à ça que ça sert, les entractes. La vaisselle, la bouffe, le lavage, embrasser ta blonde. Les petits détails de la vie qu'on met de côté quand la rondelle tombe au centre de la glace. *Puck drop*, comme ils disent à CBC.

—Mike était pas supposé venir voir la *game* avec toi ce soir ?

—Oui, il était supposé.

—Il vient pas, finalement ?

—J'sais pas, il est supposé venir. Il va arriver à m'ment donné.

—T'aimerais ça qu'il arrive avant le premier entracte, han ?

—Oui.

Mike, c'est mon ami depuis toujours. Quand on était petits, on allait voir des matchs ensemble à l'ancien Forum, dans le temps où il y avait des places debout. Debout pendant trois heures, à crier, à rire, à regarder les vrais, les Mike McPhee, les Larry Robinson, les Mats Naslund.

***

Le premier match de la saison, on le regarde toujours ensemble, Mike et moi. C'est une tradition. Pas une année qu'on a raté ce rendez-vous.

Sauf celle-ci.

La tradition ne continue pas, faut croire. Pas de Mike, pas de réponse quand je l'ai appelé, pas d'apparition surprise dans mon salon, pas d'ami de toujours devant mon écran 51 pouces. Un premier match de la saison tout seul. Avec Julie, mais tout seul, sans Mike.

J'ai été pogné pour faire la vaisselle au premier entracte. Et plier le linge au deuxième.

***

Il est bizarre, Mike, de ce temps-ci. Fragile, je crois, perdu aussi un peu. Ces derniers jours, on ne s'est pas parlé beaucoup, mais je ne me serais jamais douté qu'il manquerait notre rendez-vous annuel. Il n'y a pas de bonne raison pour rater ça. Il le sait. C'est un peu vide chez moi, le soir du premier match de la saison, quand l'ami de toujours ne se pointe pas, quand la tradition se détraditionne, c'est un peu vide chez moi. L'impression que cette année ne sera pas comme les autres, l'impression que les choses changent, glissent. C'est décevant, Mike, que tu ne sois pas venu. C'est pas ton genre, et c'est décevant. J'ai le goût de te huer un peu. Comme Patrice Brisebois.

Booooooouh.

***

Écran de télé géant pour regarder la saison. Écran d'ordinateur minuscule pour raconter la saison. Ma saison, celle de Mike, celle des chums. Et celle de Claude, celle de Saku et des autres. Des petits mots pour des gros joueurs. Gros physiquement, le cœur, on verra plus tard.

Et là, c'est mal parti. Une dégelée de 5-2 contre Ottawa. Il va déjà falloir les regeler.

Le samedi 11 octobre 2003
Canadiens 4, Maple Leafs 0

Ça y est, ils sont regelés.

Amenez-moi des vitrines, que je les défonce. Amenez-moi des chars, que je les retourne et que je les brûle. Appelez-moi mon boss, que je prenne congé pour la parade.

Quatre-zéro. On a détruit Toronto. Belle soirée d'automne, quand Danièle Sauvageau a presque l'air sympathique, quand on compte des buts et que Théo n'en accorde pas, quand Yvon Pedneault a l'air de tout savoir, mais que dans le fond, il fait juste décrire le jeu qui s'est passé cinq minutes plus tôt et qu'il dit « et c'est exactement ce qui s'est passé ».

Belle soirée d'automne, soirée solitaire pour moi, c'était parfait comme ça. J'ai pu apprécier l'effort des ti-gars, applaudir dans mon salon après chaque but sans me soucier du ridicule, le ridicule qui me tue toujours un peu.

Soirée en solitaire. Julie avait un souper, souper de filles. Et Mike n'a jamais rappelé, malgré tous mes appels depuis jeudi. Il est comme ça, Mike. Des fois, il ne donne pas de nouvelles pendant plein de jours, sans raison. Sa petite vie dans sa petite tête, il oublie que les autres existent, il regarde par terre et il oublie.

N'empêche. Il n'aurait pas dû manquer la première *game*. Une tradition comme ça. Il n'aurait pas dû manquer la première *game*. La deuxième non plus, d'ailleurs, mais c'est moins grave. On se reprendra. Il en reste 80, et ça, c'est sans compter les séries. Oui oui, les séries. Quatre-zéro, quand même. Contre Toronto, quand même.

Ça sent la coupe.

Le mardi 14 octobre 2003
CANADIENS 5, CAPITALS 1

Je sais pas pour vous, mais moi, j'ai déjà commencé à défaire le papier doré qui recouvre les bouchons des bouteilles de champagne.

***

Ce soir, Julie voulait aller au cinéma, le cinéma pas cher du mardi, voir un film de filles. Avec moi. Le soir d'un match. À quoi elle pense ?

—Tu veux que je manque un Méchant Mardi Molson Ex ?

—C'est quoi ça ?

—Je sais pas, c'est comme ça qu'ils appellent les matchs du mardi, maintenant.

—Ils pourraient pas appeler ça « la *game* de mardi », comme tout le monde ?

—J'sais pas. Tant qu'à moi, ils auraient pu appeler ça les Maudits Mardis Morons, ça aurait rien changé.

Pis ça justifierait que c'est Jacques Demers qui parle pendant les entractes.

—T'es nono.

—Moi ça ?

Contourner l'idée, dire des niaiseries pour qu'elle me dise que je suis nono, c'était mon plan pour qu'elle oublie le cinéma. Mais non. Bien sûr.

—Es-tu prêt ? Faudrait partir dans cinq minutes.

—Cocotte, tu le sais que je veux pas manquer la *game*...

—Me semble qu'on fait plus jamais rien ensemble.

—C'est pas vrai, ça.

—Ah oui ? Qu'est-ce qu'on fait ensemble ?

—Ben, on est allés voir les minous au *pet shop* la semaine passée.

Et c'est à ce moment-là que ma sœur a décidé d'interrompre la conversation d'un petit coup de téléphone, comme si elle avait deviné que je venais de dire une autre niaiserie. Dring.

—Le frère, passe-moi ta blonde.

—Bête de même ?

—Passe-moi ta blonde.

Elle ne le savait pas, mais ma petite sœur venait de m'aider, bête de même. Elles ont parlé pendant une bonne demi-heure, c'était pleinement suffisant pour qu'il soit trop tard pour le cinéma. Monsieur Julien, ce n'est pas ce soir que je vous trahirai.

Je ne sais pas ce que ma sœur voulait, pourquoi il fallait tant qu'elle parle à Julie, et à vrai dire, je m'en fous profondément. Pendant qu'elles parlaient, je mangeais des biscuits soda, alors je n'entendais pas grand-chose. Et de toute façon, c'est pas de mes affaires.

—Qu'est-ce qu'elle voulait ?

—C'est pas de tes affaires.

—C'est ça que je me disais.

Je l'aime, Julie. Elle est toujours prévisible, toujours coquette, toujours compréhensive.

— Pis lâche les biscuits soda, on a pas soupé encore.

— On aurait pas plus soupé si on était allés au cinéma.

— On aurait pu manger du pop-corn.

— Veux-tu écouter la *game* avec moi, chérie ?

— Oui, je peux ben faire ça.

— Vas-tu me faire une pipe au premier entracte ?

— Non.

Prévisible.

— Pis si je t'amène au cinéma demain soir ?

— O.K.

Prévisible. Et agréable.

N'empêche, il y a quelque chose de très ramollissant à se faire sucer pendant que trois *nobodies* essaient de lancer des rondelles dans un filet désert pour gagner un million de dollars. Alors j'ai éteint la télé, le temps d'être allumé.

***

Pour montrer à Julie que je l'aimais, j'ai écouté *Loft Story* avec elle, la reprise de 11 h. Et on s'est couchés, heureux les deux, paisibles les deux.

Le jeudi 16 octobre 2003
CANADIENS 4, PINGOUINS 1

Ce soir, ma sœur est venue souper chez moi, avec ma blonde. Littéralement avec ma blonde; moi je n'étais pas le bienvenu. C'est quand même moi qui ai fait la bouffe, je suis soumis, je sais. J'ai fait du spaghatte ben simple, c'était pas important. Fallait qu'elles jasent. De n'importe quoi, de tout, de Noël dans deux mois, des enfants qu'elles n'ont pas, du temps qui passe, des cuisses qui grossissent.

— Han qu'elles grossissent mes cuisses, Matthieu?

— Ben non chérie. T'es ben moins pire que Nath.

Nath, c'est ma sœur, que j'aime et qui m'aime, mais pas tant que ça.

Nath, c'est ma sœur, et elle s'est rentré dans la tête que nos parents nous ont mal élevés, et que c'est pour ça qu'elle est devenue ce qu'elle est. Et que je suis devenu ce que je suis, l'être insensible et cynique qu'elle pense voir quand elle vient chez nous. Elle n'a aucune idée. Mes parents nous ont très bien élevés, et j'ai très bien tourné, pour un timide pas trop bâti, avec des lunettes, avec des ongles rongés.

Si Nath a mal tourné, de son côté, ça n'a rien à voir avec nos parents, et tout à voir avec ses chums, qu'elle a empilés dans des tiroirs partout chez elle tellement il y en a eu : 4 876, ou quelque chose comme ça. On jurerait qu'elle passe le bottin page par page, en promettant qu'elle est une bonne baise. Et visiblement, ils sont toujours déçus, parce qu'ils la laissent tous. Elle parle trop, Nath, j'en suis sûr. Elle parle même dans son sommeil.

— Des chaises, faut des chaises pliantes.

Elle dit n'importe quoi dans son sommeil. Je crois que ça les effraie, les gars du bottin. Et c'est pour ça qu'elle est toujours seule. Seule dans la vie, pas dans son lit. Mais c'est la vie qui compte, pas le lit. Pauvre sœur. Ça n'a rien à voir avec nos parents, et tout à voir avec son besoin de se frotter à de la testostérone imbécile, pour ensuite pleurer parce que la testostérone est partie sans laisser son numéro d'ADN.

— Il avait l'air de tripper deux heures plus tôt, pis là il est parti sans rien dire, pendant que je dormais.

— Qu'est-ce que tu lui as dit dans ton sommeil ?

— Je sais pas, je dormais.

— T'sais, la sœur, p't'être que tu devrais être plus sélective...

— Ben là... C'est-tu de ma faute si j'ai une grosse libido ?

— Je sais pas... Je sais pas.

— Y'aurait pas un de tes amis que tu pourrais me présenter ?

— J'vais y penser...

J'ai fait semblant d'y penser quelques secondes, et puis non. Je ne veux pas qu'un de mes amis se sente mal parce qu'il a dompé ma sœur.

—T'es trop bonne pour eux, Nath, tu le sais bien.

***

Nath, c'est ma sœur, et elle déteste le hockey. Ça date de toujours. Ça date du temps où mon père la forçait à écouter *La Soirée du hockey* quand elle avait cinq ans. Du temps où ma mère la traînait à l'aréna pour que toute la famille vienne me voir jouer. Du temps où mon père montait le son de la télé au maximum pour entendre les *jokes* plates de Claude Quenneville. De la fois où ma mère l'avait poussée à demander un autographe à Brian Skrudland pendant la parade de 86. Ça date de toujours. Du temps où elle était sortie avec un joueur du junior majeur. Et un autre. Et un autre encore.

***

Ce soir, j'ai été bon pour ma p'tite sœur. J'ai regardé le hockey sans son, en prenant le moins de place possible. J'ai mis de la musique, pour l'ambiance, pour qu'elle puisse jaser en paix avec Julie, pour qu'elle puisse s'attrister en suivant la mélodie. Coldplay, Tom Waits, Nick Cave. Le cœur à zéro, les larmes sur le coin de l'œil, le désespoir en quelques notes. Ça lui fait du bien, elle est dramatique, ma sœur. Ça lui fait du bien, elle m'a remercié en partant de chez nous.

—Merci, Matthieu. T'es fin.

—C'est normal. Je t'aime, t'sais, la sœur.

—Y'ont-tu gagné ?

—Tu t'en fous.

—Oui, mais pas toi.

—Oui, y'ont gagné.

—Ça doit sentir la coupe.

—Oui.

Le samedi 18 octobre 2003
CANADIENS 0, MAPLE LEAFS 1

— Allô ?

— Matt, c'est Mike.

— Aye, t'es où toi ? Ça fait une semaine que j'essaye de te rejoindre.

— Oui, j'sais. Faut que je te parle, j'peux-tu venir écouter la *game* avec toi ?

C'est gros en maudit, 51 pouces, quand la *game* est plate. C'est gros en maudit quand tu ne sais pas trop où regarder parce qu'à côté de toi, il y a un gars de 180 livres qui pleure comme un bébé. C'est gros en maudit pour voir deux défaites le même soir.

La tête fragile, les pensées noires, comme un cimetière qui l'entoure depuis deux ans. Mike ne sait plus rien. Il me demande tout, il cherche n'importe où, il ne sait plus rien. Il voit tout le monde, il n'est capable de parler à personne, il est toujours en retard. Il dort, on dirait, il dort.

—Mike, là faut que tu te réveilles.

—Je sais, mais je suis pas capable.

—Il faut que tu te réveilles. Regarde, ça sent la coupe, là.

—Mmm ?

—Sérieux. Ça sent la coupe.

—Quelle coupe ?

Il dort, il n'est plus là. Même l'odeur de Lord Stanley ne lui caresse plus les narines. Même l'odeur d'émeute, de parade, de champagne et de vieille bière chaude ne lui caresse plus les narines.

—Julie est pas là ?

—Non, je l'ai envoyée chez une amie, je voulais pas qu'elle te voie dans cet état-là.

—J'suis si pire que ça ?

—Oui. Des histoires pour qu'elle pense qu'elle peut te remonter le moral avec une tisane pis une thérapie cognitive.

—Han ?

—Oui, elle est partie là-dessus, la thérapie cognitive. Ça va être de même pendant tout son bac. Chaque fois qu'elle va découvrir quelque chose de nouveau, elle va vouloir l'essayer...

—Une tisane, vraiment ?

***

Quand il m'a appelé pour me dire qu'il fallait qu'il me parle, ce n'était pas tout à fait vrai. Il fallait surtout qu'il s'écrase dans mon sofa et qu'il pleure. Parce qu'il n'a pas vraiment parlé. Quelques mots, quelques sons, pour s'obliger à exprer. Alors je ne sais rien. Rien d'autre que la douleur manifeste, les grimaces, des histoires de cœur, sans doute, comme toujours, comme d'habitude. On dirait qu'il joue dans *Virginie*. Une vie pleine de rebondissements plates, des rebondissements bas, presque juste du roulement. C'est la vie de Mike, depuis deux ans. Toujours la même histoire de cœur, de pas-de-cœur, en fait. La vie plate du gars qui ne pogne pas. Le gars désespéré prêt à rencontrer n'importe qui.

— Tu voudrais pas me présenter ta sœur ?

— Es-tu fou ?

— Tu m'as pas dit que c'était une salope ?

Le lundi 20 octobre 2003
CANADIENS 2, RED WINGS 1

J'ai eu deux jours pour y penser. Présenter ma sœur à Mike, ça ne peut pas être une bonne idée, ça peut juste mener à rien du tout, à des larmes des deux bords, et à moi entre les deux. Mais bon, Mike est un bon gars, il faut bien que je lui laisse une chance. Il a besoin de ça, c'est ce qu'il n'a pas arrêté de me dire après le match de samedi.

J'ai eu deux jours pour y penser, comme Claude Julien a eu deux jours pour penser au gardien qu'il mettrait devant le filet ce soir. Quand j'ai entendu à *Sports 30* que ce serait Garon, je me suis dit que c'était un signe. Donner une chance au bon gars.

— Tu viens-tu écouter la *game* chez nous ce soir ?
— Je sais pas.
— *Come on.*
— O.K.

Quand Mike est arrivé chez moi, il avait sa tête souterraine, *down* à mort, sa tête de 11 septembre.

—Ça va pas mieux, mon Mike ?

—Mmm ?

—Tu files pas ?

—Pas tellement. Contre qui on joue ce soir ?

—Les Red Wings.

—On va se faire planter.

Mike, c'est le bon gars, le gars trop gentil trop généreux trop sensible. Trop tout. Juste trop. Il a présenté des filles à tous les gars de la gang, ou presque. C'est pour dire, je pense que Richard s'est pogné quatre filles que Mike lui avait présentées. Et Yanic, trois. Mais en étant généreux comme ça, il s'est oublié, lui. Oublié de réaliser que lui aussi, dans le fond, il aimerait ça scorer, des fois. Juste une fois, même. Ça fait longtemps, ça lui ferait du bien. Il a besoin d'une fille facile. Un but dans un filet désert.

Et quand on cherche une fille facile, c'est facile. On pense à ma sœur.

Je sais que ça ne marchera jamais entre les deux. Mike le sait aussi. Et probablement que Nath le sait aussi. Mais ils en ont besoin les deux, une baise sans sens, pif paf pouf, et apparaissent les sourires niais des jouisseux.

—J'ai parlé de toi à ma sœur.

—T'avais pas dit que tu voulais pas ?

—Oui, j'avais dit ça. Mais si ça peut te remonter le moral...

—Elle veut ?

—Elle veut tout le temps.

Mike, c'est le bon gars. Beau gars, poli, respectueux, les cheveux noirs toujours bien peignés, pas de pellicules sur ses épaulettes, il a tout pour réussir, tout pour plaire. Sauf la confiance. Et la confiance, c'est tout. Quand quelqu'un lui parle, Mike regarde par terre, tout le temps. Il doit connaître les planchers par cœur. C'est pas qu'il est timide, c'est juste qu'il n'est pas confiant.

— T'as-tu une photo d'elle ?

— Ma sœur ? Tu l'as déjà vue plein de fois, ma sœur.

— Oui, mais je veux la revoir, sur une photo.

— Tu te souviens pas de ce qu'elle a l'air ?

— Oui oui. Ben, pas vraiment.

— Tu regardais à terre ?

— Mmm.

La seule photo de Nath que j'ai chez moi, c'est une photo de *party* d'Halloween. Elle est déguisée en prostituée, et son chum de l'époque, en *pimp*. Très très *class*. Je ne sais pas pourquoi j'ai ça chez nous, je pense que c'est un oubli, ou rien du tout.

— Les Canadiens viennent de compter.

— Pourquoi ils comptent tout le temps quand je cherche quelque chose dans ma chambre ?

— T'as-tu trouvé une photo ?

— Je sais pas trop, là…

— Ben là. Oui ou non ?

— Qui a compté ?

— Zednik. Aye, ta sœur, là, elle a pas de maladie, han ?

Je lui ai montré la photo, avec ma sœur la pute, les talons tellement hauts que sa tête est coupée. Mike l'a regardée pendant dix minutes, ça tombe bien, c'était l'entracte.

— Elle est belle, ta sœur.

— Je sais pas. C'est ma sœur. Pour moi, elle est pas belle pis pas laide. Elle est juste ma sœur.

— Elle est belle, ta sœur.

— Si tu le dis. Faque tu veux que je vous matche ?

— Oui. Si ça te dérange pas.

— Nonon, c'est correct, tu mérites bien ça. Mais là, faut que tu me promettes quelque chose.

25

—Quoi ?

—Tu me chiales pas après si ça marche pas.

—O.K.

—Pis tu redeviens le vrai Mike, avec les sourires, pis tout.

—O.K.

—Pis quand je vais dire à Nath « tu te souviens de Mike », tu vas la regarder dans les yeux.

—Ben là...

—Promets-le.

—Ben là...

Et c'était ça. En un soubresaut, Mike avait regagné l'espoir, l'espoir que sa vie n'était peut-être pas si pire que ça, l'espoir que, grâce à une baise, il redeviendrait heureux. Et pour aller avec cet espoir, les Canadiens ont battu les Red Wings.

—Je te l'avais dit qu'on gagnerait, a dit Mike.

—Tu te souviens de Mike?

—Ben oui, comment tu voudrais que je l'oublie, le beau Mike.

Et Mike, instantanément, a regardé par terre.

J'avais dit à Nath d'y aller mollo au début, que Mike était fragile. Elle avait dit oui. Je lui avais dit de faire semblant qu'elle aimait le hockey, que ça faciliterait les choses. Elle avait dit oui. Je lui avais dit de ne pas avoir l'air trop facile. Elle avait dit oui.

—Qu'est-ce que tu dirais, mon beau Mike, si après la *game* on allait chez moi pour finir la soirée?

—Euh...

Ben oui. Pas facile du tout, Nath.

***

Ça a été une soirée surréaliste. À écouter les pires conversations de l'histoire, la cruise pas de classe, bizarre, comme si c'était des *emails* qu'ils s'échangeaient, mais face à face.

— T'es cute déguisée en prostituée...

— T'as vu ma photo d'Halloween ?

— Oui. Ça avait l'air d'un beau *party*.

— Je m'en souviens pas trop.

— Ça te tenterait-tu d'aller faire un tour d'auto, à m'ment donné ?

— Oui, ça serait cool.

— On pourrait y aller en fin de semaine ?

— Je peux pas, j'ai des cours.

— C'pas grave, on se reprendra.

— C'est quoi ta couleur préférée ?

— Le bleu. Toi ?

— Le rouge.

— O.K.

Surréaliste. Inintéressant. Et moi, j'étais pogné à écouter ça, sans avoir le droit de dire un mot, pendant que Julie étudiait dans la chambre. Une chance que j'avais le match à regarder, je m'y suis réfugié, on a gagné. Et quand ils sont partis pour aller chez Nath, j'ai attendu la reprise du match à 3 heures du matin, et je l'ai réécouté, avec Julie qui dormait accotée sur moi. C'est le fun, des fois, de ne pas avoir à courir après des baises niaiseuses. C'est le fun, des fois, d'être en amour.

Le samedi 25 octobre 2003
CANADIENS 2, SÉNATEURS 6

Ce soir, Julie et moi on s'est fait une petite soirée d'amoureux. Pour célébrer qu'on est des amoureux, j'imagine.

En fait, je pense que ce que Julie célébrait, c'était le fait que je n'insistais pas pour regarder le match. Et moi, c'était le fait que Mike était de nouveau heureux. Enfin, je suppose. Des fois, c'est dur à dire avec Mike. Il ne m'a pas appelé depuis jeudi soir ; c'est soit bon signe, soit mauvais signe. Mais Nath m'a dit qu'il baisait bien pour un timide. J'imagine que c'est une bonne nouvelle.

Un souper d'amoureux, donc, mais l'amour n'y était pour rien, donc. Ou c'est dans ma tête, je ne sais pas. Julie et moi, on sait qu'on s'aime. Alors on ne se le dit pas trop.

—Je pense que Mike est heureux.

—Oui, ça doit. C'est cool pour ta sœur aussi.

—Oui, pour l'instant...

—Si y sont bien... Ça fait toujours du bien de baiser.

—Oui, ça fait toujours du bien.

Ce n'était même pas subtil. On s'est regardés en riant, et on a commencé à se taponner près de la table, près de nos restes de souper d'amoureux. On a baisé sur la table, comme des amants nouveaux qui baisent partout et n'importe où. On se sentait jeunes et sexuels, c'était cool, je ne pensais pas du tout au hockey, ou si peu, et bien plus à Julie et sa peau douce, son odeur qui me fait trembler.

On s'est traînés jusqu'au lit, on a traîné là pendant des heures, en silence. Des heures à bécoter sa peau douce, à respirer son odeur qui me fait trembler.

Et pendant ce temps-là, la Flanelle se faisait laver.

Et moi, maintenant, je me sens un peu coupable. Quelque chose quelque part qui me dit que c'est de ma faute, qu'ils ont joué tout croche pour me donner une leçon, pour que je ne recommence plus. O.K., j'ai compris. Si je veux que ça sente la coupe, faut que je les suive de près.

Désolé, Ju. C'est comme ça.

Le lundi 27 octobre 2003
CANADIENS 0, FLYERS 5

Fuck. Ça n'a pas marché. Je les ai regardés plus attentive-ment que jamais. Tout seul, concentré. Julie faisait des devoirs dans la chambre, Mike n'avait que Nath dans sa vie, et les autres gars de la gang ne m'ont pas donné de nouvelles depuis un bon bout de temps.

Les autres gars de la gang. Ça ne paraît pas, je n'en parle pas trop, mais on a une grosse gang. Il y a Mike, il y a moi, et il y a plein d'autres gars. Plein d'autres gars invisibles depuis trop longtemps, je vais devoir faire une ronde de téléphones, histoire de m'assurer qu'ils ne sont pas tous morts, ou inconscients, ou fondus. Spontanément combustionnés ? Ça se peut.

Ce soir, donc, j'étais tout seul, tout concentré, tout prêt à appuyer les joueurs de mon équipe, confiant que je pouvais compter sur eux, puisqu'ils pouvaient compter sur moi. Et ils m'ont encore laissé tomber. Gang de tchôqueux. Bouh. Booooooooooouh.

Et puis aussi, dès qu'un joueur touche à la *puck* : shoooooooooooot.

Je me suis couché après la *game*, en même temps que la sirène. Je n'ai même pas pris le temps de regarder c'était qui les trois étoiles, *anyway* ce n'était sûrement pas des tricolores, et sûrement des bicolores.

Je me suis pitché dans le lit, j'ai fait rebondir Julie, qui était trop concentrée dans ses livres.

— Quesse tu fais là ?

— Je me couche.

— T'es-tu obligé de te coucher aussi fort ?

— Oui.

— Bon… C'est quoi, là ? Tes amours ont perdu ?

— Les amours, c'est les Expos. Les Canadiens, c'est la Sainte-Flanelle.

— Y'ont perdu pareil.

— Non.

— Y'ont gagné ?

— Non.

— Tu boudes ?

— Oui.

Et je me suis endormi, non sans avoir donné un beau gros bec juteux à Julie, pour lui montrer que je ne boudais pas pour vrai. Elle m'a dit que j'étais nono, je lui ai dit que c'était pas vrai, et je suis tombé dans mes rêves.

J'ai rêvé que John LeClair avait acheté une franchise de Dairy Queen à Ville-Émard, et qu'il faisait faire des tours de montgolfière à l'achat d'un *sundae* au chocolat. Quand je me suis réveillé le lendemain, j'étais de bonne humeur.

Le mardi 28 octobre 2003
Canadiens 0, Bruins 2

Le fait inutile du jour, par Yvon Pedneault : en deuxième période, le banc des Bruins est dans le territoire offensif. C'est mieux pour leurs changements de joueurs. (Évidemment, si les Canadiens se tenaient un peu plus dans la zone des Bruins, ça serait pas mal moins mieux pour leurs changements.)

— À quoi tu penses, mon chéri ?

— À rien.

— À rien ?

— Non, à rien.

— Tu parles pas...

— J'écoute la *game*.

— Moi j'ai pas le goût d'écouter du hockey.

— Moi non plus.

— Ben, pourquoi tu l'écoutes, d'abord ?

— Je sais pas.

Quand t'as la tête vide, quand t'as pas le goût de parler, y'a rien comme une passe de deux lignes pour te garder la tête vide.

Voyez comme c'est vide, une passe de deux lignes :

———————————————————————

———————————————————————

Rien à dire, rien à penser.
—À quoi tu penses ?
—À rien.
—Encore ? Mais c'est des annonces, là…
—Oui, t'as raison. À quoi tu penses, toi ?
—Je sais pas.

C'est pour ça que je l'aime, Julie. Parce qu'elle est impertinente. Parce que quand elle parle, ça veut rarement dire autre chose que ce qu'elle dit. Parce que quand elle parle, elle sourit. Et parce qu'au fond, ça ne la dérange pas que j'écoute le hockey sans raison.

Je ne la changerais certainement pas pour deux d'une marque concurrente.

—Ça sent moins fort, non ?
—Qu'est-ce qui sent moins fort, Cocotte ?
—Ben, la coupe…
—Ouain, ça sent moins fort. Mais c'est parce qu'ils comptent pas de buts.
—J'imagine que ça aide pas, oui.

Julie, elle ne connaît pas trop ça, le hockey. Mais elle aime que moi, je connaisse ça. En fait, elle pense que je connais ça, c'est un peu une illusion, mais ça fait du bien de paraître connaisseur en quelque chose auprès de sa blonde. C'est bon pour l'ego.

***

Les odeurs qui s'estompent, un feu de foyer qui meurt, l'odeur du propre qui devient sale tranquillement, ça fait mal un peu. L'odeur de Lord Stanley qui disparaît, petit à petit, à mesure que les gars lancent à côté du but, à mesure que Théo en laisse passer. L'odeur de Lord Stanley, du champagne, d'Alain Crête dans la chambre des joueurs de l'équipe gagnante, ces odeurs qui, si rapidement, s'envolent et laissent place aux odeurs ordinaires. Le petit sapin dans le taxi, le Palmolive saveur de citron, le brûlé sur un rond de poêle mal lavé.

— Julie, t'as mal lavé le rond du poêle.

— T'avais juste à le laver toi-même.

Je l'aime, Julie. Je l'aime depuis la première seconde où je l'ai vue, comme si je l'avais aimée depuis ma naissance, et qu'il ne s'agissait que de la trouver.

Je l'aime, mais. Il faut toujours qu'il y ait un mais dans ma vie, dans mes phrases. Je l'aime, mais des fois, c'est un peu trop, un peu lourd. Un peu mais. Des fois, elle devient bête, pour rien, quand on se voit trop. Elle arrête d'être la douce et belle fille avec qui je sors, ou peut-être que c'est moi qui arrête de la voir comme ça. Quand elle me dit «t'avais juste à le laver toi-même», elle sonne bête, elle sonne lourd. Elle sonne mais. Ça arrive de temps en temps, de plus en plus souvent, avec les mois qui passent. Des phrases bêtes, ponctuées d'airs bêtes, c'est surtout l'air qui me dérange.

Quand ça arrive, il faut que ça reparte. En général, je n'ai qu'à inviter quelqu'un, n'importe qui, détourner l'attention. Quand on a des invités, elle parle moins, ça ne lui donne pas la chance d'être bête. Ça lui change les idées, ça l'adoucit.

Ce soir, à la fin de la soirée, elle s'est mise à sonner bête, avec mon histoire de rond de poêle, avec son pas-de-sourire, avec son regard froid. Et clic. C'était le temps d'inviter quelqu'un. Le temps de la ronde de téléphones. Y'a ben un gars qui va venir écouter la prochaine partie avec moi.

—Chérie, ça te dérange-tu si j'invite une couple de gars pour la prochaine *game* ?

—Y vont t'aider à laver le poêle ?

Les gars ? *Come on*, venez donc.

Le jeudi 30 octobre 2003
Canadiens 1, Bruins 0

J'aurais aimé qu'ils viennent en grand nombre, mais non. Il n'y a que Richard qui a répondu au téléphone. Et sans enthousiasme.

— Ta blonde te fatigue, c'est pour ça que tu veux me voir.

— Non non, c'est pas ça.

— Oui c'est ça.

— Ben non. Faque... viens-tu ce soir ?

— Oui oui, je vais être là.

Quand je lui ai ouvert la porte, il avait l'air saoul.

— T'as l'air saoul.

— Ben non. Ben... Peut-être un peu d'hier soir, je sais pas.

— Ben là... Y est 6 heures du soir.

— Déjà ?

— Grosse soirée hier, mon Richard... Comment elle s'appelle ?

—Je sais pas, Marie je pense, ou Brigitte, je sais pas.

Richard, c'est tout le contraire de Mike. La confiance, les filles une après l'autre, la vie de *king of the world*. La vie de gars qui pogne, la vie de gars qui score tout le temps, sans avoir à réfléchir, sans avoir à stresser. Au fond de lui, par contre, c'est un sensible. Il ne l'admettra jamais, il ne le sait probablement même pas, mais moi, je le sais. Richard, c'est un sensible. Un doux qui voudrait être *tough*, un angoissé de la perfection. Quand il n'a pas ce qu'il veut, quand il ne se sent pas meilleur que les autres autour, il s'effondre. Colérique, perturbé. Mais une façade imperturbable. L'image, c'est tout, la confiance, l'apparente confiance, c'est ce qui fait pogner, c'est ce qui fait scorer. Aux yeux de tous, il est le *king of the world*. Et tant que c'est comme ça, il est heureux. Un refuge, si vous voulez mon avis, mais je l'aime bien.

—Mike vient pas ce soir ?

—Non, ça fait un bout que je l'ai pas vu...

—Comment ça ?

—Ben, il passe pas mal de temps avec ma sœur, de ce temps-ci.

—Avec ta sœur ? Comment ça ?

—Ben, je sais pas. Je les ai un peu matchés, pis ça a marché.

—T'es pas sérieux ? Tu l'as pas matché avec ta sœur pour vrai ?...

—J'avais pas vraiment le choix.

—On a toujours le choix. Qu'est-ce t'as pensé, Mike avec ta sœur...

Au début, je pensais que Richard se faisait du souci pour Mike, parce qu'il sait très bien que c'est un fragile. Je pensais qu'il voyait dans cette situation un énorme danger, une bombe à retardement qui a oublié de prendre du retard. Sauf qu'au fil de la soirée, j'ai compris pourquoi Richard m'en voulait de les avoir matchés, le pauvre désespéré et la belle désespérée. Il m'en voulait de ne pas la lui avoir présentée à lui, au vrai, au gars qui fait renverser les yeux dans les orbites des filles à la moindre caresse. Son besoin d'être le meilleur.

—T'arrêtes pas de nous dire que ta sœur, c'est une salope, pis que tu veux pas nous la présenter parce qu'on serait déçus… Pis là, tu la présentes au plus *loser* de la gang. Sérieux, tu me déçois, Matt…

—Si t'avais vu Mike brailler, toi aussi t'aurais fait n'importe quelle niaiserie pour sécher ça, c't'eau-là…

Après ça, la soirée est devenue bizarre. Comme si Richard avait quelque chose à me prouver, comme s'il voulait que je voie une fois de plus que c'était lui, le *king of the world*, pas moi pas Mike, lui. Il parlait fort, riait à ses propres *jokes*, ne riait pas aux miennes. Il s'est même mis à cruiser Julie, un peu, pendant les quelques minutes où elle nous a accompagnés en troisième période. Cruise niaiseuse, rien de sérieux, mais quand même.

—T'sais Julie, une belle fille comme toi, ça devrait avoir tout ce qu'il y a de mieux dans le monde.

—Ah oui ? Comme quoi ?

—Un chum qui a de l'allure, pour commencer.

—Y'est ben correct, mon chum.

—Sérieux ? T'es pas tannée de Matthieu ?

Quand il est parti, il m'a promis de revenir samedi, pour le prochain match, parce qu'il fallait qu'il me parle de sa Marie ou Brigitte. Je n'ai pas trop compris, j'avais l'impression qu'il m'en voulait. Et pourtant, il voulait revenir. Peut-être pour Julie. Peut-être pour jaser, je ne sais pas.

Après avoir refermé la porte derrière Richard, Julie m'a regardé dans les yeux tendrement.

—Une chance que je t'aime, toi.

—Comment ça ?

—Ben, Richard...

—Quoi, Richard ?

—Il pourrait me tenter...

—Nounoune...

—Non, je suis sérieuse.

—Pour vrai ?

—Oui, je sais pas, y'a quelque chose, ce gars-là...
Je sais pas...

—Mais tu m'aimes ?

—Oui je t'aime. Aye, les Bruins, là ?

—Oui ?

—Me semble qu'ils ont plein de Russes dans leur
équipe.

—Ça se peut.

—Ça serait cool d'adopter un p'tit Russe, non ?

—Quand ça ?

—Je sais pas. Quand tu veux.

—Demain ?

—O.K. Demain.

Novembre 2003

Après une belle victoire de 1-0 en prolongation contre les gros Bruins, quoi de mieux qu'une belle défaite de 5-1 contre les tapettes des Rangers. Non, sérieux, quoi de mieux?

Et puis vous savez quoi? Ça sera une lutte à finir jusqu'à la fin. C'est Pierre Houde qui l'a dit ce soir, alors ça doit être vrai.

***

Richard a tenu promesse. Il est venu me parler de sa Marie ou de sa Brigitte, qui s'appelle Andréanne, finalement.

Il est arrivé pendant que j'appelais mon papa pour lui souhaiter bonne fête, et en même temps que Julie était toute nue, entre deux chemises, entre deux jupes, entre deux rouges à lèvres. J'ai raccroché le plus vite que j'ai pu, après avoir dit « bonne f » à mon papa, parce qu'il n'était pas question que Julie aille ouvrir en peau, pas à Richard.

—Ça t'a pris du temps à répondre. Étais-tu tout nu, coudon?

—J'étais au téléphone.

Il s'est écrasé dans le sofa, a pris la télécommande (la télécommade revient au *king of the world*), a regardé un peu partout autour de lui, comme pour placer ses balises, comme s'il cherchait où pisser pour marquer son territoire, puis il s'est mis à me jaser de tout et de rien, mais surtout de rien.

Bien vite, j'ai compris qu'il se foutait profondément de ma sœur ou de ma blonde, qu'il avait oublié, probablement, probablement une autre fille dans sa courte vie, une courte fille dans sa vie, ou plusieurs, plusieurs filles sûrement. Quand Ju est sortie de la chambre, il ne l'a même pas regardée, concentré sur les riens qu'il me racontait, et comme ça, pour rien, j'étais soulagé. Il ne m'en voulait pas, il ne voulait pas Julie non plus.

—Salut les gars, moi je sors avec mes amies, a dit Julie.

Le *e* à amies, elle ne l'a peut-être pas dit. C'est moi qui le mets, juste parce que j'aime mieux penser qu'elle sort juste avec des amies, et avec le moins d'amis possible. Vous comprenez.

—O.K, Cocotte, bonne soirée. Tu reviens à quelle heure?

—Je sais pas, attends-moi pas.

Richard n'a pas dit un mot, comme s'il avait hâte qu'elle parte. Et quand elle a refermé la porte:

—Bon, c'est pas trop tôt.

—Quoi?

—Ben, que ta blonde parte. Je te comprends d'être tanné des fois.

—De quoi tu parles?

—De rien. Laisse faire.

—Mettons. Bon, tu voulais pas me raconter tes histoires de filles, toi ?

—Oui monsieur. Pis cette histoire-là, elle est spéciale. Compliquée, en fait.

—Va falloir qu'on regarde la *game* de l'Ouest aussi, d'abord... Toi pis tes histoires... Ça finit jamais...

Pendant cinq heures, il m'a parlé de son histoire, toute simple mais tellement compliquée. La Marie ou la Brigitte, qui finalement s'appelle Andréanne, elle ne veut rien savoir de lui. Ça devrait être simple. Sauf que ça, c'est nouveau pour lui. Nouveau ou inacceptable. Une fille qui se crisse de lui, ça ne se peut juste pas. Sa vie est aussi simple que ça, à Richard. Il faut qu'il pogne, c'est l'essence de son quotidien, c'est sa *drive*.

Alors cette fille qu'il a rencontrée l'autre jour, cette Andréanne avec qui il a passé une soirée complète (elle doit bien s'intéresser à lui un peu), qui lui a aussi donné son numéro (elle doit bien s'intéresser à lui un peu), semble-t-il qu'elle ne s'intéresse pas à lui du tout. Parce qu'elle n'a pas voulu l'embrasser, parce qu'il l'a travaillée (selon ses mots) pendant des heures sans voir le moindre bout de peau. Et ça le désoriente, le Richard. Une Andréanne qui ne lui saute pas dans les bras à pieds joints, une Andréanne qui ne prend pas un élan gigantesque pour se lancer sur lui et qui ne s'accroche pas avec un lasso et des chaînes et un cadenas, ça n'existe pas dans sa vie. Alors il est perdu, ne comprend pas, ne sait plus quoi faire. Bienvenue dans ma vie, Richard.

Le pire, c'est qu'il ne la trouve pas si intéressante, elle.

Mais s'il m'en parle pendant cinq heures, six périodes de hockey, elle doit bien lui plaire un peu. Ou pas. Peut-être juste le défi, il paraît qu'il y a des gars comme ça.

Pour que je respire un peu, pour que Richard reprenne son souffle aussi, on dirait, y'a Mike qui a appelé, juste comme ça, pour que je respire un peu. Un petit *break* sourire, un petit *break* légèreté dans la lourdeur de la conversation.

—As-tu entendu ce que Pierre Houde vient de dire ?

—La lutte à finir jusqu'à la fin ?

—Ouais. C'est fou, non ?

—Ouais, c'est fou. Comment ça va avec ma sœur, toi ?

—Je te rappelle.

Et c'était ça. Un court *break*. Il ne m'a pas rappelé. Et Richard a replongé dans son histoire. *Go*, Richard, t'es capable. Le plus de phrases sans respirer. Le plus de minutes sans silence. Le plus d'images dans la télé sans que tu les regardes.

C'est pas facile, être Casanova et être profondément angoissé en même temps.

Respirer. Inspirer, expirer.

C'est pas facile, être Casanova et être profondément angoissé en même temps. En fait, pour ce qui est d'être Casanova, je n'ai aucune idée. Pour ce qui est de l'angoisse, par contre, c'est une autre histoire.

Ce soir, j'avais besoin d'être seul. Pas seul avec ma blonde, pas seul avec mes chums. Seul. Juste seul avec moi. Pour réfléchir, pour penser à tout ça, à ma gang de chums, à leurs histoires de filles, à mes histoires de filles. Placer les choses dans ma tête, regarder du hockey pour regarder du hockey et, aux entractes, réfléchir, penser, baratter tout ça pour que ça soit bien onctueux.

Voir les arbitres arbitrer tout croche, voir le Canadien tirer de l'arrière 4-0 en milieu de deuxième. Donc, voir les Oilers pousser de l'avant 4-0. Les gars, pourtant, je vous regarde. Je ne comprends plus ce qu'il leur faut.

Qu'est-ce que vous attendez de moi, m'sieur Julien ? Que je vous regarde de travers, que je vous regarde en anglais, que je vous regarde avec les gars et ma blonde, que je vous regarde sans intérêt ? J'suis pas capable. C'est tout seul que je préfère vous regarder, mais vous perdez. Une autre saison couci-couça ? Vous allez pas me faire ça... J'aime ça, moi, quand c'est beaucoup plus couça que couci.

Ce soir, j'avais besoin d'être seul, avec mes angoisses et mes questions, avec les histoires de Richard qui me piétinent, ses histoires de filles sans respect, je devrais dire quelque chose, je devrais intervenir, ou pas, je ne sais plus. Je joue à l'arbitre ou je joue au spectateur amusé ? L'arbitre amusé, peut-être.

Ce soir, j'avais besoin d'être seul. Penser à mon rôle dans tout ça. Ma gang d'amis, je ne sais pas pourquoi, dont je suis le point central. Une dizaine de gars qui se tournent vers moi quand ils ont besoin de parler, quand ils ont un problème. Pourquoi moi ? Aucune idée. Parce que j'écoute, parce que j'ai une télé 51 pouces, je ne sais pas, vraiment. Parce que ça a toujours été comme ça. Je n'ai rien d'un leader, ils me voient plutôt comme un moyeu. Ça tourne autour de moi, sans raison, juste parce que c'est comme ça. Je suis un roulement à billes.

Ce soir, j'avais besoin d'être seul. Penser à Julie, que j'aime, mais c'est toujours la même histoire. Je me tanne. Je ne veux pas me tanner, je voudrais tellement l'aimer toute ma vie, mais je sais que non, que je ne pourrai pas. Je sais qu'un jour, demain ou dans trois ans, je vais me tanner, je vais regarder ailleurs, pour me détanner. Et je ne veux pas, parce que je ne veux pas lui faire mal, parce que je l'aime. Vous comprenez ? Moi non plus. Ça fait un peu mal, tout ça. Ça fait mal de ne rien comprendre.

Ce soir, c'était encore un Méchant Mardi Molson Ex. Parfait pour être tout seul. Je pense que je vais faire ça, dorénavant. Me réserver mes Méchants Mardis Molson Ex pour moi. Les Méchants Mardis Molson Ex de Matt, ça fait plein de *m*, c'est cool. Mes mardis à moi, les gars vont comprendre, Ju aussi. J'espère.

Le vendredi 7 novembre 2003
CANADIENS 1, SABRES 2

—Julie ?
—Oui ?
—La *game* est plate.
—C'est pas de ma faute.
—Elle serait plus le fun si tu la regardais avec moi.
—Tu le sais qu'il faut que j'étudie.
—Mais on est vendredi.
—Tu me le diras quand ce sera la troisième période, je vais venir te coller rendu là.

J'ai attendu deux périodes plates, et deux entractes pendant lesquels j'ai pitonné plus vite que l'ombre de Lucky Luke (Richardson ?). Et enfin, c'était la troisième.

—Julie ?
—Oui ?
—La troisième commence.

—O.K., j'arrive.

Et elle est arrivée, en t-shirt et en *sweatpants*, pas sexy mais tellement belle, et elle m'a collé le plus possible, en fait elle m'a détruit les côtes avec son coude. Elle a les coudes pointus.

—Bon, qu'est-ce qui se passe avec tes Canadiens, là?

—Ils sont poches. Si y perdent celle-là, ça va être la sixième défaite en sept matchs.

—Hon. Sont poches.

—Oui, sont poches. Pis en plus, c'est le retour de Saku, ce soir.

—Y était où?

—Blessé.

—Donc y était chez lui...

—Oui, si tu veux... Pis tu sais quoi?

—Non. Mais dis-le-moi tout de suite, mon amour, tu sais comment j'aime ça entendre des histoires de hockey...

—Nounoune. Yanic Perreault est dans les estrades.

—Qu'est-ce qu'il fait là?

—Le *coach* le fait pas jouer.

—Y est où dans les estrades?

—Han?

—Ils lui ont-tu donné des bons billets, au moins?

—Nounoune. Arrête de me niaiser, c'est grave.

—Oui, t'as raison, c'est très grave. Pourquoi c'est grave déjà?

—C'est le meilleur compteur de l'équipe, pis il est dans les estrades.

—Hon. Ça a pas de bon sens... Pourri, le *coach*!

—Crie pas comme ça, c'est des annonces.

Quand les annonces se sont terminées, et qu'on a vu Claude Julien en gros plan, elle lui a crié après comme une folle. Elle aime tellement ça, me niaiser. N'empê-che... Perreault dans les estrades. Claude, Claude... T'es mieux d'avoir un bon plan...

—Et pis Richard, qu'est-ce qu'il avait de bon à te conter pour vouloir tant que ça que je m'en aille ?

—Tu t'en es rendu compte ?

—Ben là, j'suis pas niaiseuse.

—Ah non ?

—Nono.

—Il voulait me conter des histoires de filles. Comme d'habitude. Sauf que là, c'est une fille qui est pas intéressée, faque il capote, c'est la première fois que ça lui arrive.

—Je suis sûre que c'est pas la première fois...

—Peut-être, mais là, c'est parce qu'elle le niaise. En fait, c'est pas vrai qu'elle est pas intéressée. Elle a l'air intéressée, mais elle veut rien faire avec lui...

—Pis lui ? Y est-tu intéressé ou il fait juste jouer ?

—Je le sais pas trop. Il dit qu'il est pas intéressé, mais il capote vraiment, faque je sais pas...

—Il fait pitié...

—Non, pas du tout.

—Je niaisais.

—Toi aussi ?

—Comment ça, moi aussi ?

—Ben comme la fille.

—Je comprends plus rien, là.

—Moi non plus.

Le samedi 8 novembre 2003
CANADIENS 3, SABRES 0

Yes.

On a gagné.

Bulis, Kilger, Souray, les compteurs. Ma gang de superstars, vous. Quatrième jeu blanc de Théo, aussi, mine de rien. Ça a l'air de rien comme ça, mais c'est pas pire pantoute. Ça a l'air de rien parce que quand il ne blanchit pas l'adversaire, il se fait défoncer solidement, pif paf pouf sans arrêt, sans arrêts.

—Y est bon, Théo, han ?

—Une fois sur deux.

Ma sœur est venue souper, avec Mike, ils sont inséparables. Ils me font passer pour un héros, le Wayne Gretzky du matchage, le Cupidon de l'amour. Euh. Le Cupidon tout court. Bon. En tout cas, ils sont bien heureux, tellement qu'ils se regardent dans les yeux seconde après seconde et, au bout du compte, ça fait des heures, mais ils ne s'en rendent pas compte. Il doit y avoir de bien belles choses dans leurs yeux, et leurs lèvres doivent goûter bien bon.

À les regarder aller, ça me fait sentir quasiment *cheap* par rapport à Ju. Est-ce qu'on devrait se coller plus ? Se lécher tout partout ? Dur à dire, elle me regardait en souriant, ce soir, mais je pense avoir vu dans son regard la même pensée qu'il y avait dans le mien : un genre de « une chance qu'on n'est pas comme ça, nous, c'est vraiment fatigant ».

— Mike ?

— Mmmm ? (dit-il la bouche pleine de langues)

— As-tu parlé à Richard ?

— Mmm mm (dit-il en hochant un peu la tête en signe de non, en faisant bien attention de ne pas échapper la langue de ma sœur).

Richard est invisible depuis une semaine, inaudible. Aucune raison de m'inquiéter, je sais bien, mais quand même. Il y a quelque chose de chien là-dedans. Venir me gosser pendant des heures avec son histoire pas possible, cette Andréanne sans intérêt et sans intérêt et ensuite ne rien faire. Pas d'appel, pas de désespoir, pas de sourire, pas de tout est fini, pas de ma vie a pris un virage pour le mieux, pas de aide-moi, pas de c'est beau je lui parle plus. Rien. C'est chien. Moi qui me demandais si je devais intervenir.

Et puis je suis curieux, je veux savoir. S'il va bien, s'il va mal, s'il va m'appeler, s'il va me dire ce qui se passe. Je devrais l'appeler, mais je ne veux pas le déranger. Je l'ai déjà dérangé une fois pendant qu'il baisait, et j'en ai entendu parler pendant huit ans. Je vais attendre.

Le mardi 11 novembre 2003
CANADIENS 1, BLUE JACKETS 1

Quand t'es saoul, c'est plus dur d'écrire. Je suis saoul. Les touches bougent sur le clavier, c'est pas normal. Ça rend ça difficile, une petite chasse à la bonne touche mot après mot. Et choisir les mots aussi, c'est pas évident.

J'étais tout seul, on est mardi. C'était mon Méchant Mardi Molson Ex hebdomadaire, Ju était partie n'importe où, loin peut-être ou de l'autre côté de la porte, c'est pas grave, je lui ai demandé de s'en aller pour la soirée, elle a dit « O.K. » sans trop sourire. Et tranquillement, mine de rien, je me suis ouvert une bière au début de la *game*, en me disant que je prendrais une gorgée à chaque tir au but. Et finalement, les tirs au but ne venaient pas assez vite, alors j'ai pris une gorgée aussi à chaque sifflet, puis chaque fois que Yvon Pedneault disait « et c'est exactement ce qui s'est passé », puis chaque fois que Pierre Houde mélangeait

Biron et Garon. Puis chaque fois que rien de tout ça ne se produisait.

Je suis saoul.

Bonne nuit.

C'est toi chérie ? Tu rentres ben tard… T'es allée où ? Avec qui ? Tu réponds pas ? Julie ?

Le jeudi 13 novembre 2003
CANADIENS 1, ISLANDERS 3

Julie, pourquoi tu me boudes ?

C'est pas ma faute si les Canadiens sont pas capables de compter plus qu'un but par match. C'est pas pour ça ? Pourquoi tu me boudes, Julie ?

Julie me boude.

—Est-ce que c'est parce que je me suis saoulé tout seul l'autre soir ?

—Non.

—Parce que je t'ai mise à la porte ?

—Qu'est-ce que t'en penses ?

—C'est pour ça ?

—Oui, c'est pour ça.

Ah. C'est pour ça.

—Je m'excuse, ma belle. Fallait que je sois tout seul, tu peux comprendre, non ? Non, tu ne peux pas, toi faut tout le temps que tu sois avec du monde. J'aimerais tellement savoir c'est comment, être sociable. Mais je ne le suis pas, pas pantoute, pas du tout, pas le moins du monde, pas. Pas sociable, mais toi oui, ma petite Julie boudeuse. O.K., promis, je ne le referai pas. Même si c'est mardi, même si c'est méchant, même si y a une commandite de bière. Je vais rester avec toi, promis. Tu boudes plus, là ?

—Non, je boude plus. Je t'aime.

Moi aussi, je t'aime, même si c'est lourd à porter des fois, un gros *suit* de ski-doo en plomb, l'amour.

—On peut-tu changer la musique, là ? C'est un peu déprimant, Nick Cave.

—Oui, mais c'est tellement bon.

—Change la musique, sinon je te fais pas de pipe.

—Tu veux me faire une pipe ?

—Oui, pour te montrer que je boude plus.

J'ai mis un disque de Charlebois et mon sourire le plus fendu, et je l'ai regardée s'avancer vers moi tendrement. Des pas tendres, c'est beau des pas tendres. Rendu à mi-chemin vers le paradis, rendu à mi-fellation (comment je fais pour calculer ça, moi ?), ça a sonné à la porte. Moi, évidemment, je voulais qu'on laisse faire, qu'on ne réponde pas. Mais Julie. Julie...

—D'un coup que c'est des voleurs... Bouge pas, je reviens.

Facile à dire, bouge pas. À moitié nu sur le sofa, en diagonale avec la porte d'entrée, c'est pas grand, chez nous. J'ai laissé mes pantalons à mes chevilles, mais j'ai remonté mon *boxer*.

À la porte, c'était Richard. Et Richard, quand on lui ouvre, il entre. Vite et fort, un vrai *power forward*. Quand il m'a vu les pantalons aux chevilles, et qu'il a regardé Julie qui s'essuyait la bouche, il a simplement souri.

—Lucky guy...

—Qu'est-ce que tu fais ici ?

—Je venais écouter le hockey, mais si Julie a quelque chose de mieux à me proposer...

—Ta gueule. Assis-toi, là.

—Vous aviez fini, j'espère.

—Non.

—Ben là... Pourquoi vous avez répondu ? Les voleurs ?

—Les voleurs.

Et Julie, rouge pas mal, rosé foncé, est partie vers la salle de bain en marmonnant qu'un jour, les voleurs allaient venir.

—Comment ça va, toi, mon Rick ?

—Pas pire, pas pire. Mieux que les Habs.

Et comme ça, sans trop que je m'en rende compte, il a contourné toutes mes paroles pour les repousser vers le hockey ou vers des sujets vides (ce n'est pas la même chose). Pas question qu'il me parle d'Andréanne. Mystérieux, ou perdu, ou les deux, Richard a sorti ses plus belles feintes pour me sortir de mes patins.

—Veux-tu une tasse de café, mon Matt ?

—Non, c'est beau, ça me fait trembler, le café.

Et à la toute fin du match, quand il avait déjà son manteau sur le dos et que les Islanders comptaient dans un filet dessert (la cerise sur le *sundae*), j'ai réussi à le surprendre vite vite, pas de réflexion.

—Qu'est-ce qui se passe avec Andréanne, Big ?

—Je veux pas t'en parler, t'as pas remarqué ?

—Oui, mais qu'est-ce qui se passe avec elle ?

—Je veux pas t'en parler plus. Je suis sûr que t'es déjà allé raconter ça à tout le monde...

—Ben non, voyons.

—*Anyway*, je t'en reparlerai quand je saurai ce qui se passe moi-même.

—Encore mélangé ?

—Plus que jamais.

—Intéressée mais pas intéressée…
—Intéressée mais pas intéressée…
—On s'en reparle ?
—On s'en reparle.

Le samedi 15 novembre 2003
CANADIENS 3, SÉNATEURS 2

On s'en est reparlé. Ce soir. Un bon bout de temps avant le souper, au téléphone. Et après, *live*, la scène divertissante, pendant la *game*. Il est venu avec elle chez moi. Il voulait me la montrer, faire un laboratoire de mon salon. Il voulait savoir si je trouvais qu'elle avait l'air intéressée ou pas.

La scène divertissante. Comme au cinéma, mais à la maison. Cinéma maison, j'imagine. En fait, comme un combat de boxe commandé à la télé à la carte, avec la *game* de hockey en petit, grâce à la merveilleuse fonction *picture-in-picture* de ma télé (c'est « pip » sur la télécommande, je pèse souvent dessus, mais rarement avec le résultat escompté).

D'un œil, donc, une partie de hockey fascinante, victoire du bleu blanc rouge, même s'ils se sont fait dominer totalement, les Ottawaïens ont tiré 40 fois, et nous, 13. Et de l'autre œil, le féroce combat de non-séduction entre Richard et Andréanne. Non-séduction, vraiment, la lutte pour déplaire, ou presque, ou plaire à l'envers. Très divertissant.

—Julie, fais-nous du pop-corn.

—Fais-le toi-même.

—Tu le sais que j'ai aucune idée comment le micro-ondes marche.

Dans le coin bleu, pesant environ 110 livres, avec des grosses boules et des belles fesses, et un visage ordinaire : Andréanne. Visiblement, Andréanne est une joueuse d'expérience. Elle connaît la *game*, prend très peu de temps à étudier son adversaire et cogne fort, là où ça fait mal, un genre de tube de Sex-o-sex. Là où ça fait mal aux gars. Elle joue avec Richard comme on construit un château de sable, avec plaisir, longtemps, inutilement. Elle est intéressée, pas de doute, mais surtout à voir jusqu'où elle va pouvoir l'affoler. Le rendre fou le plus possible. Elle est en mission, comme on dit. Une vraie joueuse, je vous dis. Dès qu'elle est entrée chez nous, elle a regardé Julie de haut (talons hauts), puis m'a regardé et m'a souri, j'étais presque séduit. Julie m'a traîné dans la chambre. M'a dit qu'elle ne l'aimait pas, et que je n'avais pas le droit de la regarder en bas du menton.

Dans le coin rouge, pesant beaucoup trop pour que je me batte contre lui, avec les cheveux blonds et la *joke* facile : Richard. Désorienté, un joueur d'expérience aussi, mais, visiblement, il a de la misère avec cette adversaire-là. Il piétine tout croche, dit n'importe quoi, essaie trop fort de la séduire, je dirais qu'il n'est pas intéressé, vraiment. C'est étonnant, mais il n'est pas intéressé. Tout ce qu'il veut, c'est gagner. À tout prix, gagner le cœur de cette fille pour mieux la crisser là. Ce qu'il ferait le lendemain, j'en suis sûr. Tout ce qu'il veut, c'est prouver à tout le monde qu'il n'a pas perdu la *touch*. Qu'il peut la coincer le long des câbles et la faire fondre, comme le beurre sur le *pop-corn* que Julie n'a pas encore préparé.

— Le micro-ondes, il marche exactement comme tous les autres micro-ondes.

Et moi, je suis l'arbitre de la soirée, en blanc, juste pour faire bleu blanc rouge, pour le fun. C'est le fun, non ? Bon, O.K., pas tant que ça. Y est où le *pop-corn* ? Faut-tu que je pèse sur un niveau de puissance ? Combien de temps je mets ça ?

Pouf pif pouf pak. Le *pop-corn* est presque prêt, le visage de Richard est boursouflé, il en mange une maudite, ce soir. Il ne gagnera pas, il faut que j'intervienne. T.K.O. Dixième round. Je traîne Richard dans la chambre, et voilà :

— Richard, t'es épais.

— Comment ça ?

— T'es pas intéressé par cette fille-là.

— Ah non ?

— Non. Pis elle est pas plus intéressée par toi. Elle te niaise. La meilleure chose que tu peux faire, là : va sur Crescent ce soir, pis ramasse-toi n'importe qui.

— T'es sûr ?

— Oui, j'suis sûr.

— Merci, Matt, toi t'es un vrai chum.

Bon, j'ai menti un peu, mais c'est pour son bien. J'étais quand même pas pour lui dire qu'elle le voulait, mais pas tout de suite. Le pauvre, des histoires pour qu'il se retrouve avec une fiche de 0-45-0, 44 K.O., juste contre elle. Fallait que je le tire de là. Reste à voir si ça va marcher.

Et puis là, promis, c'est ma dernière analogie avec la boxe. À quoi je pense, moi ? Dans un livre sur la saison des Canadiens... C'est Chris Nilan qui serait fier de moi.

Le mardi 18 novembre 2003
Canadiens 4, Canucks 5

Un match dans l'Ouest, ça commence tard. Alors ça finit tard. Il est tard. Je suis fatigué.

C'était un Méchant Mardi encore, mais Julie est restée, je n'ai pas osé lui demander de s'en aller, à vrai dire je n'y ai même pas pensé. De toute façon, elle s'est couchée au milieu de la première période, sur mes cuisses; elle m'a coupé la circulation pour le reste de la *game*, elle a les joues osseuses. Sans jambes, le sang au cerveau, ça réfléchit différemment. Je me suis demandé ce qui se passait avec Richard, s'il avait suivi mon conseil samedi dernier, puis il y a eu un deux contre un, et j'ai oublié d'y repenser.

Ce soir, les Canucks avaient leur chandail d'époque, vraiment cool. Un rectangle arrondi avec un bâton de hockey. Je suis sûr que c'est à cause du logo qu'ils ont gagné. En prolongation.

Et là il est tard, j'ai les yeux enflés. Le sang qui ne passait pas dans mes jambes a dû se retrouver dans mes paupières. Ça se peut, ça, docteur ?

Non, ça se peut pas. Sauf que là, j'ai les yeux presque fermés, fermés complètement, presque. Z'avez d'jà essayé d'écrire les yeux fermés ? Pour moi, ça donne ceci :

J'essaue df'Mé.cire lkes tyex fern.sm naus he suis oas xcwertai wquye ca marxcge vrainwebt bien.

Hum. Dites donc, quand on écrit en finlandais, ça ressemble-tu à ça ? Saku ? Saku ? Ah pis laisse faire, je vais demander à Teemu la prochaine fois que l'Avalanche va être en ville.

Le jeudi 20 novembre 2003
CANADIENS 1, FLAMES 2

Décrocher. Les laisser perdre en paix.

Ce soir, j'ai compris quelque chose : je n'y suis pour rien. Que je les regarde ou non, que je sois concentré ou non, ils sont soit pourris, soit ordinaires.

Ce soir, j'ai décroché, le temps d'un soir, en sachant qu'ils allaient soit perdre, soit gagner, soit annuler, en m'en foutant un peu. En sachant fort bien, par contre, que dans deux jours, je vais me raccrocher. Pas le choix, dans deux jours, c'est le match historique en plein air à Edmonton. Alors c'est un tout petit décrochage, le temps d'une soirée, le temps de me rendre compte qu'il y a une vie parallèle.

Ce soir, je suis allé au théâtre avec Julie, voir *Cheech* (*les hommes de Chrysler sont en ville*), à la Licorne. Avant que ça commence, assis en plein milieu de la salle, dans la pénombre, je me suis dit que si les Canadiens gagnaient plus souvent, il y aurait moins de monde qui irait au théâtre. Puis je me suis dit que j'étais niaiseux, que ça n'avait rien à voir.

Et quand la pièce a commencé, j'ai oublié le hockey, oublié les passes de deux lignes, oublié Yvon Pedneault, Jacques Demers et Alain Crête, oublié le travail le long des bandes. Et j'ai plongé dans *Cheech*, avec admiration. J'ai l'air de rien comme ça, avec mon obsession du hockey, mais je ne dirai jamais non à une bonne pièce de théâtre.

Petite note dans le vide : il y a quelque chose de très jouissif à applaudir le plus fort qu'on peut une gang de comédiens qui se sont démenés pour nous épater *live*, pendant qu'à Calgary, il y a 16 000 personnes qui applaudissent le plus fort qu'ils peuvent parce que Théo s'en est fait passer un par Steve Reinprecht. Jouissif. Oui, c'est le mot. Inexplicablement jouissif, comme le fait de décrocher de ma vie, ou comme le fait de me rendre compte que, oups, mon monde existe aussi ailleurs que devant la télé.

— As-tu aimé ça, Ju ?

— J'ai adoré ça. Toi ?

— Oui, moi aussi. Pis t'sais quoi ? Mon monde existe aussi ailleurs que devant la télé.

— ...

— C'est vrai. Des fois je l'oublie.

— Embrasse-moi.

— Tu sais que j'aime pas ça en public.

— Je sais. Embrasse-moi pareil.

Et on s'est embrassés.

— Je sais pas si les Canadiens ont gagné, quand même.

— On s'en crisse.

— Oui, t'as raison, on s'en crisse.

***

Dans deux jours, par contre, on va s'en crisser pas mal moins.

Le samedi 22 novembre 2003
Canadiens 4, Oilers 3

Gros, gros *party*. La journée hockey de l'année. Match en plein air à Edmonton, à -19 degrés, devant 56 000 spectateurs. Gros, gros *party*.

Pour l'occasion, on est tous allés chez Mike. Sa télé est moins grande que la mienne, mais son salon, lui, l'est plus. Et quand je dis tous, c'est tous. Tous les gars de la gang, certains que je n'avais pas vus depuis des mois. Certains que je connaissais à peine, aussi, des p'tits nouveaux. Patrice était là, et Yanic, et Darren, et Francis, et José, et Donald. Tous là.

Tous là, c'est l'occasion de voir les gars changer, de voir les choses bouger, imperceptible mouvement, l'occasion de voir ce qui se passe, ce qui ne se passe plus, ce qui pourrait se passer. L'occasion de voir l'avenir incertain. Beau *party*, plein de rires, mais ce mouvement qui fait un peu peur, aussi, l'impression que le froid n'est pas seulement sur la glace à Edmonton.

—Ça a l'air de bien aller, entre Mike pis ta sœur…

—Contre toute attente.

—Ouais, contre toute attente. N'empêche, je maintiens que c'est avec moi que tu aurais dû la matcher.

—Pour que tu la baises d'un bord pis de l'autre pis que tu la laisses le lendemain ? *Come on*, Richard, j'te connais, t'sais. *Anyway*, t'as pas Andréanne, toi ?

—Non.

—Elle existe plus ?

—Non. J'ai suivi ton conseil.

—C'est bien, ça. T'as l'air mieux, d'ailleurs.

***

On a commencé ça tranquillement, avec le match des anciens, à se souvenir de nos souvenirs, les Gretzky, Henderson, Fuhr, les belles années des Oilers. Et Phaphane, aussi, Phaphane Richer qui n'a pas pu s'empêcher d'en garnotter une, comme dans le bon vieux temps. Les vieux Oilers ont gagné, mais ça se comprend, c'était Richard Sévigny et Steve Penney dans les buts pour nos anciens à nous. Se souvenir de nos souvenirs, parler comme si on était vieux, on a à peine 30 ans, tu parles…

Et après, avec l'alcool et la bonne humeur, avec les *jokes*, toujours les mêmes *jokes*, on a regardé Théo goaler avec une tuque sur son masque, on a vu les Habs gagner, c'était drôle à voir, la boucane quand les gars expirent, c'est bien, c'est vrai, c'est du hockey comme quand nous on joue, sur une p'tite glace dans un quartier douteux, la boucane quand on expire. La neige sur la glace, les cagoules. Dans le salon chez Mike, j'ai presque senti le froid, avec la boucane, oui, il faisait froid ce soir chez Mike, froid dans les cœurs, par sympathie, froid dans les cœurs, les choses qui tournent un peu, un peu tout le monde qui tourne.

***

Darren, ça faisait longtemps que je ne lui avais pas parlé. Darren, c'est un gros nounours gentil. Gros et fort, et brute aussi, mais nounours quand même. Il ne ferait pas de mal à une mouche. Mais si un gars le fait vraiment chier, il peut écraser ses jointures dans son nez tellement fort. Plus de nez. Plat comme une face pas de nez.

Darren, il y a deux ans, m'a présenté Julie. On doit toujours beaucoup au gars qui nous présente notre blonde. On ne lui redonne jamais rien, par contre, mais on lui doit beaucoup. Je dois beaucoup à Darren, qui, ce jour-là, il y a deux ans, m'a forcé à aller prendre une bière dans un bar trou pas loin de sa job, sans me dire que c'était pour me présenter cette adorable *sweetie*, cette Julie avec qui il travaillait, cette douceur, ces yeux, ce sourire, je craque pour les sourires, toujours, elle m'a souri, j'ai craqué. Merci Darren, merci de m'avoir forcé.

—Mon Darren, je t'ai-tu déjà remercié de m'avoir présenté Ju ?

—Oui, mille fois.

—Tant que ça ?

—Oui, tant que ça.

Darren, il ne parle pas beaucoup. Tout dans les yeux, tu le regardes et tu sais ce qu'il pense, comment il va, tu vois le fond de sa tête, et tout ce qu'il y a avant. Un transparent, pas besoin de mots pour voir la gentillesse, et la colère des fois, la gentillesse surtout. Pas besoin de mots pour voir la peine, pas besoin de mots pour voir l'ennui.

—Ta blonde est pas venue, le gros ?

—Elle pouvait pas.

—T'aurais aimé ça qu'elle vienne, han ?

—Oui.

Peu de mots, beaucoup de tout le reste. Il s'ennuie de sa blonde, le gros nounours. C'est novembre, aussi, la grisaille, j'imagine.

Les choses qui tournent tranquillement, un match historique, l'ennui et la joie qui se mélangent, drôle de mélange, un match historique, le sentiment qu'il faudra s'en souvenir. Novembre, la grisaille, un match en plein air dans un froid mortel. Froid mortel.

Le mardi 25 novembre 2003
Canadiens 2, Canucks 5

Ça m'est resté. Ce sentiment de vide lourd, de lourdeur vide, ce sentiment que les choses tournaient, tranquillement, la tristesse un peu, la vie glissante un peu, l'espace qui devient grand sans que je m'en rende compte. Et puis l'espace, grand et vide, ma tête qui tourne. Je suis gris de l'intérieur.

La nostalgie, peut-être.

Rien pour aider, les Glorieux portaient des chandails de la saison 1945-1946, ce soir. Rien pour aider, les Glorieux se sont fait planter par des Canucks beaucoup trop forts pour eux. Rien pour aider, Julie était par terre, *down* autant que moi, fatiguée.

— As-tu parlé à Darren samedi, Cocotte ?

— Un peu. Y était pas ben jasant.

— Trouves-tu qu'il a pas l'air de filer, de ce temps-ci ?

—Peut-être. Je sais pas. Il parle vraiment pas beaucoup. Même au bureau il me parle pas tellement.

Julie avait la tête dans sa tête, ce soir. Pas envie de penser, pas envie de penser aux autres. Négative, blasée, rien pour aider.

—Y étaient laids, les chandails en 1945.

Le vendredi 28 novembre 2003
Canadiens 5, Capitals 3

— Matthieu ?
— Mmm ?
— Tu trouves pas que ça s'en vient plate ?
— Quoi ça ?
— Ma vie. Notre vie.
— Je sais pas, Julie. Pourquoi tu dis ça ?
— Le hockey tout le temps, chez nous tout le temps, tu trouves pas que ça s'en vient plate ?
— Ben… Non, pas tant que ça…

Sérieusement, non, pas tant que ça. Bien sûr, les choses pourraient être un peu plus joyeuses, on pourrait sortir un peu plus. Mais non, pas tant que ça.

— C'est peut-être juste l'automne qui me rentre dans le corps. C'est qui ça, Pierre Dagenais ?
— Un *nobody* qu'ils sont allés chercher je sais pas où. C'est son premier but avec les Canadiens.
— Il est pas laid.

—T'es sérieuse ?

—On peut-tu mettre de la musique à la place des commentateurs ?

***

Décembre s'en vient. Les décorations de Noël sont déjà partout. Pas partout, mais presque. Le froid s'en vient pour vrai, le vrai froid, l'hiver ça me tue. Le hockey, c'est un remontant. Ça me tient aiguisé.

***

—On devrait inviter Mike pis ta sœur à souper, demain.

—Si tu veux.

—Oui je veux.

—O.K. Appelle-les.

—C'est ton ami, pis c'est ta sœur, appelle-les, toi.

—C'est ton idée.

Elle les a appelés. Ils vont être là demain. Êtes-vous contents ? Moi aussi, je m'en fous un peu.

—T'es ben bête, toi, de ce temps-ci...

—S'cuse-moi, Ju, je sais pas que j'ai.

—C'correct, mais fais attention à moi un peu.

Après la partie, on a fait l'amour doucement, sans se regarder, en évitant nos yeux, puis on s'est endormis doucement, collés, la peau froide mais chaude.

Dans les yeux, les yeux. Mike et Nath n'ont pas dit un mot de la soirée, se sont regardés profondément toute la soirée. Main dans la main, yeux dans les yeux, c'est le bonheur silencieux, la paix langoureuse, c'est beau à voir, triste à voir aussi. Et ça fait des soirées plates en crisse.

Comme un match Canadiens-Panthers. Plate en crisse.

Quand je posais une question à Mike, c'est Julie qui répondait, pour remplir le silence. Elle n'aime pas le silence.

— As-tu trouvé que Darren avait l'air en forme samedi dernier ?

— ...

— Mike ?

— Mmm ?

— As-tu trouvé que Darren avait l'air en forme samedi dernier ?

— …

—Moi je l'ai pas trouvé si pire.

Merci Julie.

***

Et ma p'tite sœur, elle, je ne sais plus si c'est vraiment ma p'tite sœur. Elle a changé, elle est heureuse. Elle a presque l'air d'aimer le hockey. Elle a presque l'air d'une fille équilibrée, presque l'air saine et tout. Heureuse, certainement, heureuse. Et chaque fois qu'on se croise dans mon petit chez-moi, en amenant une assiette vers le lavabo, ou en sortant des toilettes, elle me prend les mains et me dit merci, mais il y a pas un son qui sort de sa bouche.

Y a pas d'quoi.

—Bon. On joue-tu à un jeu, on chante-tu, on se conte-tu des *jokes*, quelque chose ?

Julie n'aime pas le silence. Elle a peur, je crois, les bruits la réconfortent, les paroles.

—On va y aller, nous autres, on a des choses à faire. Mais merci, là, c'était ben le fun.

Et comme ça, ils sont partis.

Des fois, c'est drôle, on dirait que je préfère les gens tristes aux gens heureux. Réconforter ceux qui se lamentent, entendre les pleurs, sentir les larmes. Le malheur des autres fait mon bonheur à moi. C'est normal, je crois. Ou pas.

Décembre 2003

Le mardi 2
Canadiens 3, Lightning 2

C'est une manie, Claude ? Laisser le meilleur marqueur de l'équipe dans les estrades... Cette fois-ci, c'est Ribeiro. Et pourtant, pour une fois qu'il fait quelque chose de pas mal, après tout ce qu'on nous a promis de lui depuis des années. Sérieusement, des fois j'ai de la difficulté à comprendre les *coachs*. Secouer les gars, j'imagine, brasser de la marde un peu, montrer que personne n'est intouchable, les forcer à donner leur maximum, vivre par les clichés. Pour les clichés. Et pourtant, Ribeiro, la *puck* roulait plutôt pour lui... Oui bon, il fait des *shifts* de deux minutes et demie, c'est un peu mangeux de glace, mais de là à lui faire faire un long *shift* dans les estrades... Claude, quand est-ce qu'on va prendre une bière pour que tu m'expliques tout ça ? La vie de *coach*, les décisions, le pourquoi, les clichés. Toutes ces choses qui te font prendre des décisions contre lesquelles j'aime chialer. Je t'aime bien, Claude, j'aime ton sourire. Mais des fois. Je me demande.

***

Vous savez, mon histoire de prendre mes mardis pour moi... Pas un franc succès. Mais ce soir, je suis seul, pas par choix, par circonstance, alors j'en profite. Julie est sortie au cinéma avec je sais pas qui, voir je sais pas quoi. Alors j'en profite. Le retour des Méchants Mardis Molson Ex de Matt. Wouhou.

***

La solitude, l'hiver, le vent, le froid. Toutes sortes de choses qui se croisent dans ma tête pendant que Koivu compte son premier but de l'année. Pour lui, c'est l'inverse. La chaleur, le groupe qui l'entoure, la gang, l'amour, l'amour.

C'est le milieu de la deuxième période, je sens le silence et ça me dérange, c'est sûrement Ju qui déteint sur moi. J'appelle Darren. Ça sonne. Ça sonne encore. Boîte vocale. Je raccroche.

Et c'est tout. J'aurais pu appeler quelqu'un d'autre, mais non. Je voulais parler à Darren, savoir comment il va, entendre ses mots courts, son souffle rapide quand il répond oui ou non, et qu'il attend une autre question. Sentir, peut-être, sentir la confiance ou la tristesse, voir si ce trou dans ses yeux que j'ai vu l'autre fois est encore là, s'il est vrai. Mais c'est sa boîte vocale qui a répondu, et elle, je n'ai rien à lui dire.

Pas de question, plus de question, je ne sais pas pourquoi, mais la pas-de-réponse de Darren m'est rentrée dans le crâne comme un camion sans freins, et je suis convaincu que ça ne va pas. Projection, sûrement, mais pourquoi je me l'avouerais, quand on m'a habitué à plaindre les autres, à aider les autres... Darren, t'es où, tu fais quoi, je veux t'aider. Tu le sais que je suis là pour ça, je veux t'aider.

***

On a gagné sans Ribeiro. Facile, ça, mon Claude. Facile à justifier, facile de sourire après ça. C'est pas juste, moi qui étais prêt à chialer comme un démon. Ça chiale, un démon ? Je sais pas, disons que oui. Un démon comme un bébé, le diable dans le ventre des mamans, l'enfer est pavé de couches Pampers.

— Tu vas être content, mon chéri.

— Comment ça ?

Julie s'imagine des choses. Des choses comme mon bonheur éventuel, quand ça n'a rien à voir. Là, par exemple, elle pense que je vais être content d'apprendre que demain, elle va au Centre Bell avec Darren.

Sa logique : je m'inquiète pour Darren, alors le fait qu'ils vont passer la soirée ensemble va lui permettre de parler avec lui, et en revenant, elle va pouvoir me rassurer.

Ma logique : crisse, c'est qui qui aime le hockey entre elle et moi ? Pourquoi ce serait pas moi qui irais voir la *game* avec Darren ? Je pourrais me rassurer moi-même.

Mais bon. C'est pas plus grave que ça. De toute façon, c'est une sortie de job, des billets de la job avec du monde de la job, et moi, je ne travaille pas là. Sauf que quand même. C'est un peu frustrant, la Julie qui se plaint qu'on regarde trop de hockey, et là, elle est contente d'aller en regarder.

—Tu le sais que t'as pas à être jaloux. Tu le sais, han?

—Oui, je le sais. C'est pas ça du tout.

—Ça fait cinq ans que je le connais, Darren, pis je l'ai toujours trouvé laid.

—Pis y est en amour par-dessus la tête avec sa blonde, oui, je sais.

—Oui. Parlant de sa blonde, justement...

Sa blonde, c'est Raphaëlle, je ne l'ai pas vue souvent, mais il paraît qu'elle m'aime bien, elle me trouve drôle. Et là, pendant que nos conjoints respectifs vont respirer la sueur des gros joueurs en direct, elle voudrait venir regarder ça avec moi, sur ma grosse télé. O.K., pas de trouble, oui oui, de trouble. Elle est la bienvenue: si elle me trouve drôle, elle me plaît, je suis comme ça.

—Cool, un échange de couples!

—Niaiseuse...

N'empêche. C'est un peu ça, non? Je ne sais pas si je la trouve belle, Raphaëlle.

***

Après ça, Julie et moi on a regardé le match, pleins d'enthousiasme, en évitant de se parler de notre vie.

—*Yeeees*. Dans ta face, Claude!

—Qu'est-ce qui se passe?

—Ribeiro vient de compter!

—Claude Ribeiro?

—Non, Mike Ribeiro.

—Pourquoi Claude, d'abord?

—Claude Julien. Coudon, les écoutes-tu les *games* ou tu fais semblant?

—Qu'est-ce qu'il a fait de mal, le Claude?

—La dernière *game*, il a benché Ribeiro, pis là il vient de compter. Ça lui apprendra à le bencher.

—Ben là, mon amour... C'est toi qui es épais, là. S'il vient de compter, ça veut dire que le *coach* a réussi à le motiver, pis qu'il a bien fait de le faire jouer ce soir... Non ?

—Tu connais pas ça, le hockey, Julie. Moi je connais ça.

Elle avait raison. Mais elle ne connaît pas ça, le hockey, elle. Moi, je connais ça.

Orgasme.

Celui de Raphaëlle. Dans mon salon, sur mon sofa, sur moi, devant ma grosse télé, avec 5 minutes 33 à faire en troisième période. Oups. Orgasme oups.

Il y a des moments où tout est surréel. Du début à la fin, des images et des sons, au-dessus de nous, on ne sait pas, on ne comprend pas, on ne contrôle pas. Ce n'est pas une excuse, je n'ai pas d'excuse. Je ne veux pas faire pitié, je ne veux pas que vous pensiez que ce n'est pas de ma faute. Mais quand même, le surréel qui envahit mon salon, mes yeux qui bougent trop vite, pas le temps de voir quoi que ce soit. Quand j'ai ouvert la porte à Raphaëlle, la première chose qu'elle a dit, c'est « t'es don' ben beau ce soir ». Et c'était fini. Pas d'espoir qu'il ne se passe rien, pas de contrôle, les choses se passent comme ça dans mon monde, par réflexe, par un déclic inaudible, qui fait bouger les doigts tranquillement, puis les mains, puis tout le corps, et les lèvres, et la langue.

Ce n'était pas planifié. Cinq minutes plus tôt, si vous m'aviez demandé si je tromperais Julie un jour, j'aurais dit «non, jamais». Probablement que Raphaëlle aurait dit la même chose de Darren aussi, je ne sais pas.

Mais les choses se passent comme ça dans mon monde, par réflexe. Par frissons. Par sourires. Un mince toucher, un effleurement qui traîne, et qui traîne, et ça vous rentre sous la peau, au plus profond des os, et il est trop tard. C'est fini, les souffles longs, les cris étouffés, la peau douce, mes empreintes digitales sur son corps.

police line do not cross police line do not cross police line do not cross police li

Et elle? Elle, je ne sais pas, je sais un peu, je ne sais pas trop. J'ai senti son corps frémir quelques fois quand on voyait des images de la foule au Centre Bell. Et maintenant, maintenant qu'elle est partie et que je suis tout seul dans mon salon, je comprends ce que c'était pour elle. L'excitation de baiser devant son chum. Exhibitionnisme faux, excitation contrôlée. Il est dans la foule, la foule est dans la télé, il nous regarde peut-être à travers l'écran. C'est drôle, l'esprit. C'est drôle.

Et quand on s'est rhabillés, c'était rien du tout, comme si le réel reprenait sa place, les images et les sons qui redescendent tranquillement. C'était tout, un moment de plaisir physique, de sueur et de tremblements, et tout. Et puis rien.

Il fallait que je sache si ça voulait dire quelque chose.

—Est-ce que ça veut dire quelque chose?

—Non.

—Rien du tout?

— Rien entre toi pis moi.

— O.K.

C'était parfait. Rien du tout entre elle et moi, et au fond, c'était vrai. Visiblement, elle ne trippait pas sur moi pour vrai. Et visiblement, elle me plaisait juste un peu, pas assez pour être sérieux, juste assez pour une niaiserie.

Difficile d'oublier, par contre, mais j'essaierai. Et Julie n'a pas besoin de savoir, bien sûr, même si elle devrait. Je vais lui dire, peut-être, un jour pas tout de suite, un jour. Pas tout de suite.

Je me suis couché, pour être certain de dormir quand elle arriverait. Petite Ju, c'est drôle, je m'ennuie de toi. J'étais content de te voir partir tantôt, tanné un peu de ta présence depuis quelques semaines, et là, je m'ennuie. J'ai hâte de sentir ton corps proche du mien, hâte de sentir ton baiser de bonne nuit, dans mon demi-sommeil. Hâte de te sentir pour être certain d'oublier un peu. Hâte de sentir que tout ça ne s'est pas passé pour vrai. Même si ça s'est passé pour vrai.

J'ai eu de la misère à m'endormir, les pensées de corps, de deux corps différents, de deux filles différentes, les pensées qui marchent trop fort dans ma tête, quand je ferme les yeux. Me forcer à penser à autre chose. La victoire de la Flanelle, disons. Cinquième match de suite sans défaite, voilà une raison d'être heureux. Oublier que je suis un peu confus, oublier que je ne comprends pas trop ce qui vient de se passer. Oublier.

Et avec la face de Michael Ryder dans la tête, comme ça, avec des rêves de trophée Calder, je me suis endormi. Niaiseux que je suis.

Des fois, je donnerais n'importe quoi pour ne plus être un roulement à billes.

***

Il fait noir, un noir gris brumeux, comme dans le cœur des meurtriers, comme dans les yeux d'un oiseau qui va mourir. Il fait noir, je n'ai pas peur, je n'ai plus peur. J'ai mal, mais je ne sens rien, ça fait mal, mais je ne sens rien.

Ce matin, quand Darren m'a réveillé en me disant qu'il était déjà 10 heures, j'ai eu envie de tout lui dire. Je n'ai pas osé, c'était trop dur, et j'étais à moitié endormi, à moitié nu. Sans défense, et je savais bien qu'il faudrait que je me défende quand je lui dirais.

— As-tu bien dormi ?
— Mouais. Non.
— Non ?

—Ouais ouais, j'ai bien dormi.

—Mais ?

—Mais je sais pas. C'est bizarre. C'était la première fois en cinq ans que je dormais pas avec Raphaëlle.

—Oui, je sais. Ça va-tu ?

—J'sais pas.

Darren et Raphaëlle. Le ti-couple parfait qui n'était plus parfait. L'unité de deux, le duo de défenseurs de l'amour, que j'avais splitté d'une feinte savante. Splitter la défense, d'un solide coup de patin.

Darren et Raphaëlle, inséparables depuis cinq ans, depuis toujours on dirait. Séparables depuis avant-hier.

J'ai un peu honte.

—Si au moins je savais pourquoi...

—Pourquoi quoi ?

—Pourquoi elle veut plus rien savoir de moi. Je m'y attendais tellement pas.

—Ouais, si au moins on savait pourquoi...

J'ai beaucoup honte.

—Veux-tu une bière ?

—Il est juste 10 heures et quart.

—Veux-tu un jus d'orange ?

—O.K.

Pourquoi a-t-il fallu qu'il vienne chez moi, dans mon sofa, dans mes bras, pleurer la perte de sa douce ? Pourquoi faut-il que je sois toujours ce roulement à billes, le moyeu du groupe, pourquoi tout le monde tourne autour de moi comme ça ?

***

Hier, milieu d'après-midi, ça a sonné à la porte, et c'était lui. En larmes, 240 livres de muscles qui se vident de leur eau. Raphaëlle venait de lui dire qu'il devait partir, que ça n'allait plus, qu'elle avait beaucoup réfléchi et qu'elle s'était rendu compte qu'elle ne pouvait plus être avec lui, que ça ne marchait plus.

— T'as passé la soirée avec elle ici, avant-hier. Elle avait l'air de quoi ?

— Elle avait l'air mélangée, je sais pas, on n'a pas trop parlé.

Quand Julie a vu Darren pleurer, et qu'elle a compris un peu qu'il s'était fait crisser là, elle est sortie chez une amie, n'est pas rentrée dormir.

— Occupe-toi de lui tout le temps qu'il faut. Tiens-moi au courant…

Le paradis, vraiment. Je suis dans un bain de marde, vraiment.

***

J'ai passé la journée à brasser tout ça dans ma tête, mon ami, l'amitié, parler, lui dire, m'ouvrir la gueule. Je ne sais pas. Je ne sais rien. J'attends un signe.

***

Le signe est venu en fin de troisième période. On menait 2-1 contre la meilleure équipe de la ligue, et on s'est fait égaliser. Puis avec une minute à faire, John LeClair a compté. Défaite crève-cœur. Crève-cœur, c'était ça le signe. Fallait que je lui dise. Comment on dit ça ?

— Darren, faut que je te dise…

— Quoi ?

— Avant-hier, quand Raphaëlle est venue écouter la *game* ici… Je sais pas ce qui s'est passé. On a baisé. Mais ça veut rien dire…

***

Trois coups de poings. Trois coups de poings, une vraie volée, il m'a crissé une vraie volée. Pas la première fois qu'il frappe un gars, ça paraît. Mais c'est correct, je le mérite. Je le mérite. C'est ce que je me suis dit une seconde avant de tomber dans les pommes.

Et il fait noir, un noir gris brumeux, comme dans le cœur des meurtriers, comme dans les yeux d'un oiseau qui va mourir. Il fait noir, je n'ai pas peur, je n'ai plus peur. J'ai mal, mais je ne sens rien, ça fait mal, mais je ne sens rien.

Le mercredi 10 décembre 2003
Canadiens 2, Rangers 1

Le sentiment que pour un détail, ta vie bascule tranquillement. Le sentiment que ça oscille, doucement, et tu ne sais pas si ça va virer complètement ou se stabiliser. Ma joue fait mal, mon nez est bleu, j'ai mal à la tête. Mais c'est correct, je le mérite.

Je n'ai pas de nouvelles de Julie, depuis deux jours. Pas capable de la rejoindre, je lui laisse des messages innocents sur la boîte vocale de son amie. Pas de nouvelles, elle ne rappelle pas, je suis sûr que Darren lui a tout dit. C'est correct, je le mérite.

Et c'est cette attente, cette douleur d'attendre, qui déséquilibre. C'est ma tête qui oscille entre la télévision et le téléphone, et qui s'arrête sur le téléphone pour de bon, avec l'espoir qu'en le regardant bien longtemps, dans le fond des touches, il va sonner, de dépit, de curiosité, je ne sais pas, qu'il sonne tout simplement. Mais non.

Dring ? Non, pas dring.

L'attente, ne rien savoir, ne pas savoir si elle sait ou si elle est morte ou sourde ou juste distraite. Ne pas savoir si elle est en train de baiser avec un inconnu, ou avec Darren, ou avec une autre fille, ou si elle est juste en train de manger une crème glacée en s'ennuyant de moi, parce qu'elle ne sait rien ou parce qu'elle m'aime et qu'elle me pardonne.

J'ai peur de l'inconnu, je suis en plein dedans. J'ai peur de la tristesse, je la sens dans tout mon corps.

Le 12 décembre, c'est l'hiver pour vrai, l'hiver ça me tue. Il fait noir tellement tôt, c'est déjà tout gris dans l'appart, la vie qui ralentit, la vie qui s'éteint tranquillement, maudit hiver, maudit moi.

Pendant que les Panthers tiraient 49 fois au but, Julie me lançait 49 000 insultes.

—Pis t'es même pas capable d'éteindre ta maudite télé pendant qu'on se parle. T'es un estie de cave, tu le sais, ça ?

—Oui, je le sais.

Oui, je le sais.

La vie qui s'éteint tranquillement. Deux ans comme ça qui s'oublient si vite, deux ans comme ça qui ne veulent plus rien dire, ni pour moi ni pour elle. La peur que ça soit fini, la peur de savoir que c'est fini. La peur de savoir qu'on la connaît trop pour ne pas avoir mal déjà.

Je l'ai vu dans ses yeux tout de suite, avant qu'elle ouvre la bouche, je l'ai vu. Toute la douleur et la colère et la haine et la force. La force brute, brutale de cette petite fille, toute petite, qui me piétine tellement fort, juste avec ses yeux. Un regard et c'était tout, j'ai vu toute la douleur du monde dans ce regard, tout le poids du ressentiment. Et c'était tout. Les insultes, pour elle, c'était de la thérapie. Se faire du bien. C'est correct.

Deux ans se terminent, s'effondrent, s'effacent.

— Demain après-midi, arrange-toi pour pas être là, je vais venir chercher mes affaires.

Qu'est-ce qu'on dit à ça ? On ne dit rien. On ferme sa gueule et on accepte la défaite. Et on se dit tout bas qu'on va les prendre match par match, période par période. Et on pleure, tout bas aussi. Discrètement, on pleure pendant des heures, sans dormir, sans fermer les yeux, on pleure toute la nuit. Tout bas.

On ne s'attend jamais à ça. Jamais à ce point-là.

On ne penserait jamais qu'un petit appartement comme le mien peut avoir l'air vide. Et pourtant. Enlève sa vie, enlève les moments de bonheur et de malheur, les moments de couple qui se sont imprégnés dans ses murs pendant deux ans. Enlève quelques décorations, quelques chaudrons, un meuble ou deux, enlève sa vie, et c'est vide. Un entrepôt, ça résonne, le son, la mélancolie aussi. La musique. Quand ça va mal, on écoute de la musique déprimante. On est épais.

C'est vide chez moi. Chez nous. Chez moi, finalement. C'est vide. J'ai regardé les murs ce soir, en espérant y voir de l'espoir. J'ai regardé les murs comme un perdu en prison, y voir un tunnel déjà creusé, parce que je n'ai pas la force, ce soir, d'en creuser un moi-même.

La télé a l'air encore plus grande dans le vide. Ce soir, les joueurs ont l'air plus gros que d'habitude.

Même Martin St-Louis. Même Saku. Même le crâne de Rick Green. Plus miroitant que jamais, et les filets ont l'air de filets de soccer. C'est pour ça qu'il y a beaucoup de buts ce soir. Parce que les filets sont trop grands.

C'est vide chez moi. Venez remplir le vide.

Le mardi 16 décembre 2003
CANADIENS 1, BRUINS 1

—C'est don' ben vide ici…
—Oui, je sais.
—Ça fait longtemps que c'est vide de même ?
—Depuis samedi.
—Ah bon.

Je ne me souvenais pas que Patrice, ce qu'il aime le plus, c'est lui. Penser à lui, parler de lui, rêver à lui. Mais ça tombait bien. Je n'avais pas envie de parler de Julie, ce soir, pas trop envie d'y penser, pas envie de parler de moi. Alors Patrice qui se fout de ma vie, qui ne se demande même pas pourquoi c'est vide depuis samedi, c'était parfait.

—T'as vu ça, Pat, y ont pogné Saddam hier.

—Ah oui ? Non, j'ai pas vu ça. Je suis allé magasiner hier, pis en rentrant j'ai passé pas mal de temps à essayer mon nouveau linge. Faque j'ai pas regardé la télé.

C'est un coquet, Patrice. *Fashion* et tout, il s'aime beaucoup, il veut s'aimer encore plus. Un bizarre avec de drôles d'obsessions, et une volonté énorme de plaire, d'être connu. La célébrité, rien de moins, c'est ce qu'il recherche. Il veut que le monde le reconnaisse dans la rue, il me l'a déjà dit. Et il cherche sans arrêt le meilleur moyen d'y arriver.

En général, le monde n'aime pas Patrice. C'est un bon gars, il est gentil, mais il veut trop. Juste trop. Il essaye d'être tout en même temps, et ça sort *fake*. C'est plate, parce que la plupart du temps, c'est pas *fake*. Mais ça a l'air *fake*. Il a l'air fendant, que voulez-vous.

Moi, je l'aime bien. Il me change les idées chaque fois que je le vois, sans le savoir. Le plaisir de l'écouter, de l'observer, de l'analyser, il n'en a aucune idée, mais c'est mon rat de laboratoire à moi. Je vois en lui l'être humain, le prototype de l'être humain, la volonté de plaire à tout prix, l'égoïsme, l'excès. C'est ça, pour moi, l'être humain, une bête qui aime se vanter quand elle fait quelque chose de bien, qui trouve toujours des excuses quand elle fait quelque chose de mal, qui cherche quelque chose à faire quand elle ne fait rien. Une bête qui s'aime tellement qu'elle ne peut pas comprendre que les autres ne l'aiment pas autant, alors que les autres sont trop occupés à s'aimer eux-mêmes. C'est très américain tout ça, très George W.

Peut-être que je dis n'importe quoi, aussi, je n'ai pas toute ma tête depuis que Ju est partie. Je crois qu'elle était un morceau de mon cerveau, le morceau qui pense. Au moins, il me reste le morceau qui écrit.

***

—Je m'excuse de pas être arrivé pour le début du match, je savais pas qu'il avait neigé autant.

—Quarante centimètres.

—J'ai vu ça, je trouvais plus mon char.

—Il est bas, ton char.

— C'est un char sport.

— C'était une *joke*…

— Je sais, mais c'est un char sport pareil.

Les objets ont une importance tellement grande dans sa vie. Les vêtements, les autos, la montre, tout ce qui se voit.

Quand on lui dit «y est beau ton chandail», il y a une lumière qui s'allume dans ses yeux. Et quand on lui dit « estie que t'es superficiel », la lumière s'éteint.

Patrice, il a une petite chaîne qui lui pend du nez, clic clic, allume la lumière, clic clic, éteins la lumière. Pas plus compliqué que ça.

— Tu reviendras jeudi, mon Pat, on va avoir du fun encore.

Noël s'en vient. Avec Julie qui n'est plus là, ça me fait un cadeau de moins à acheter. C'est toujours ça. Et mes chers Canadiens ne vont pas si mal ; rien pour penser à une parade sur Sainte-Catherine, rien pour rebaptiser la rue De La Gauchetière « rue Koivu », mais quand même. Les choses ne devraient pas aller si mal.

Le problème, c'est que je ne suis pas dedans. La neige et le froid, Noël et ses lumières partout, l'esprit des fêtes, crisse d'esprit des fêtes, je ne suis pas dedans. Sauf qu'il faut bien. J'ai une semaine pour trouver un cadeau à ma sœur et à mes parents. Une semaine pour me mettre dans le *beat*, parce qu'au *party* de famille de Noël, il va falloir que je sois de bonne humeur, pour éviter les questions... Je les entends déjà, Julie est pas là ? Non elle travaille, non elle m'aime plus, non elle a crissé son camp pis c'est vide chez nous, non je l'ai trompée avec la blonde de mon ami. Qu'est-ce qu'on répond à ça ?... Julie est pas là ? Oui, elle est là dans nos cœurs.

***

Ding dong. (En fait, la sonnette ne fonctionne plus, alors c'est toc toc.)

Toc toc, donc.

C'était Patrice, qui ne m'avait jamais confirmé qu'il viendrait, mais il était là, alors c'était bien.

— C'est don' ben vide ici...

— Tu me l'as déjà dit l'autre soir.

— Oui, je sais, mais c'est bizarre que ça soit vide, parce qu'il manque rien.

— Il manque quelqu'un.

— Ça doit être ça. Ben j'suis là, là.

— Je parlais pas de toi, Pat.

***

Il y a des matchs dont on n'attend rien. Contre les Predators de Nashville, par exemple, c'est qui ça, c'est une équipe, ça ? Les Predators de Nashville. On regarde le calendrier des matchs, et on se dit ah ben, j'aurais dû me planifier quelque chose à faire ce soir-là, parce que ça va finir 1-0 et le match va durer huit ans. L'impression de durer huit ans. La trappe, toujours la trappe. Maudites équipes poches, en fait ce ne sont pas tant des équipes poches, mais c'est l'impression qu'elles donnent. Et pourtant.

Et pourtant, ce soir, c'était un excellent match. Plein de buts, une victoire en prolongation, tour du chapeau de Sheldon Souray, ben oui toi, une superstar est née. Et puis Ribeiro qui a quatre passes, se pourrait-il qu'il soit bon, finalement, le Messie tant attendu, le Mats Naslund portugais ? On verra... Bon match, donc, tellement bon que Patrice et moi, on n'a presque pas parlé, sans s'en rendre compte. Et pourtant, on a une grande gueule.

Et quand nos p'tits gars ont compté en prolongation, on a sauté sur place en se faisant des *high fives*. Comme dans le bon vieux temps où le hockey, c'était tout ce qu'il y avait dans nos vies. Ça a changé ? Non, pourquoi ?

***

Après les *high fives*, l'extase niaiseuse en nous qui se calme, les cerveaux qui se replacent un petit peu, si peu. Et Patrice qui part dans un *speech*.

—Là, mon Matthieu, j'ai beaucoup réfléchi ces derniers jours, et faut vraiment que tu m'aides. Je sais pas si je t'en ai déjà parlé, mais j'aimerais vraiment ça devenir célèbre.

—Ça me dit vaguement quelque chose.

—Ouais ben j'ai découvert que c'était pas juste une petite envie comme ça. C'est vraiment un besoin. Faut que je sois célèbre, c'est comme une vocation, faut que le monde me salue dans la rue, c'est vraiment une vocation.

—Si tu le dis.

—Faque ça va être mon objectif pour l'année prochaine. À la fin de 2004, faut que le monde me reconnaisse dans la rue.

—Sur le trottoir, ça fait-tu pareil ?

—Je suis sérieux, Matthieu. Pis j'ai besoin que tu m'aides. Faut trouver une idée, t'es bon là-dedans, toi.

—Quel genre d'idée ?

—Tu m'écoutes-tu ou tu m'écoutes pas ? Une idée de comment je fais pour devenir célèbre...

Alors comme ça, lui avec le plus grand sérieux, moi avec le plus grand sarcasme, on s'est mis à brainstormer. Et faut dire, y a pas des millions de solutions pour se faire reconnaître dans la rue. Rock-star (il chante comme une Buick Skylark 1984 rouillée), sportif professionnel (il patine sur la bottine, lance comme une fille, court comme une autruche saoule, vous voyez le genre), journaliste à la télé (il est incapable de séparer les « si » du conditionnel), comédien (il a la voix d'une Buick Skylark 1984 rouillée).

— Bon, c'est pas que je veux te mettre dehors, mais qu'est-ce que tu dirais si on dormait là-dessus, pis on continuait ça pendant la prochaine *game* ?

— O.K.

— Pis fais attention en retournant chez vous, faudrait pas que quelqu'un te reconnaisse dans la rue. On est pas encore l'an prochain.

— T'es ben baveux à soir, toi. Si je serais pas fatigué, je te crisserais une volée.

Le samedi 20 décembre 2003
CANADIENS 2, MAPLE LEAFS 4

Ce matin quand je me suis levé, il était 2 heures de l'après-midi. En me faisant à déjeuner, des rôties avec de la confiture de fruits quelconques, j'ai remarqué une petite craque dans le mur, nouvelle craque, rien de grave, loin de là, toute petite craque juste à côté de la télé. C'est ma vie qui commence à s'effriter, ou juste la bâtisse qui travaille ?

Ma vie qui commence à s'effriter, mais ça se patche, ce genre de craque. Et de toute façon, je vais l'oublier cinq minutes plus tard. Ou pas.

***

Une petite pensée venait tout juste de glisser dans ma tête, petite pensée de rien, comme une odeur qu'on n'a pas respirée depuis des mois, comme une vapeur de souvenirs, petite pensée de rien. Julie, comme ça, comme une vapeur de souvenirs, je me force fort pour l'oublier, mais des fois, par les craques du plancher, par les craques dans le mur, elle revient tranquillement, doucement, me faire trembler, et je ne sais pas si j'aime ça. J'ai eu envie de l'appeler, on ne s'est pas parlés depuis qu'elle est partie, j'ai eu envie de l'appeler, une fraction de seconde. Chérie, t'es là, je t'aime encore, je crois, tu glisses en moi de temps en temps, tu ne t'en vas pas. Je regardais le téléphone, un regard détourné, pas capable de lui faire face encore, la honte, peut-être. Je regardais le téléphone discrètement, en espérant qu'il sonne, mais c'est la porte qui s'est mise à toctoquer frénétiquement. On cognait avec vigueur, presque de la panique, comme si dehors il y avait le feu partout dans les rues, et que chez moi c'était de l'eau. J'ai ouvert tout petit, et j'ai mangé la porte sur le nez, poussée (défoncée) par un Patrice au sourire flamboyant.

— Mannequin !

Il s'était regardé dans le miroir depuis jeudi soir, j'en suis sûr, et il s'était trouvé beau, comme d'habitude, et voilà. Mannequin, il voulait devenir mannequin. Voir sa bette sur une affiche, et je suis sûr qu'il se planterait juste à côté, pour que le monde voie que c'est bien lui.

— Mannequin ?

— Oui, mannequin.

Bon. J'ai mal au nez, la porte est plus dure que moi, mais ce n'était pas si fou. Vrai qu'il n'est pas laid, vrai qu'il a l'attitude, vrai qu'il a un style. Mettons.

— O.K. Comment tu t'y prends pour devenir mannequin ?

— J'ai déjà parlé à un de mes amis qui est photographe, il va m'organiser une journée de photos pour mon portfolio. Mais là, j'aimerais ça faire quelque chose avec le portfolio, pas juste un catalogue de photos.

— Qu'est-ce que tu veux faire ?

—Je sais pas, c'est là que j'ai besoin de toi. Un concept, du texte pour aller avec les photos, quelque chose d'original.

—O.K. C'est niaiseux, mais c'est peut-être pas une mauvaise idée.

—Mets-en que c'est pas une mauvaise idée. Faque tu vas m'aider ?

—Je sais pas. Qu'est-ce que tu me donnes ?

—Ben... Rien. Qu'est-ce que tu veux ?

—Rien, c't'une *joke*. Mais quand tu vas être célèbre pis que toutes les pitounes de la terre vont te courir après, vas-tu m'en présenter une ou deux ?

—Oui oui.

—O.K., je vais t'aider d'abord. Laisse-moi une couple de jours...

—Après Noël, genre ?

—Oui, après Noël. Genre.

—Cool. Toi t'es un chum.

(— Parles-en à Julie.)

Maudite craque dans le mur, c'est par là qu'elle s'infiltre. Maudite craque presque invisible, maudite craque comme un ravin transparent, tout ce qu'il faut pour qu'elle s'y glisse, petite poussière, elle s'incruste. Et l'autre qui veut devenir mannequin.

Le lundi 22 décembre 2003
CANADIENS 4, PINGOUINS 1

Claude, comment ça va ? Le moral est bon dans le vestiaire ? Leurs bras meurtris vous tendent toujours le flambeau ? *Goooood.*

Parce que moi, je compte beaucoup sur vous. Pour gagner, bien sûr, mais surtout pour que moi, je puisse garder le moral. Me coucher tout seul dans mon lit, le soir, et savoir que vous avez gagné, comme une petite goutte d'onguent. S'il fallait que vous perdiez tout le temps, Claude, je crois bien que je pleurerais. Pour célébrer la défaite, la mienne plus que la vôtre.

Alors cette victoire contre les pauvres Pingouins, elle fait du bien. Quand Théo se dresse, quand toute la défensive fait la job, quand Souray compte (encore), quand les joueurs de soutien font leur travail, quand l'échec avant dure même jusqu'à après, ça fait du bien.

Un tout petit bien, même pas une chaleur, mais je prends tout ce qui passe.

Le mardi 23 décembre 2003
CANADIENS 2, CAPITALS 3

Pourquoi on écrit ? Non, sérieux, pourquoi on écrit ?

Pourquoi, dites-moi, est-ce que je passe mon année à vous raconter ma vie, à aligner des mots comme ça, deux trois soirs par semaine, avec la conviction que ça veut dire quelque chose ? La conviction que ça veut dire quelque chose, ça veut dire quelque chose ? Pourquoi j'écris quand j'ai trop mal aux doigts de me les avoir mangés, pas rongés, mangés ? Pourquoi j'écris quand je m'ennuie de mon ex, pourquoi j'écris quand mes amis sont épais, pourquoi j'écris quand les Canadiens gagnent, pourquoi j'écris quand ils perdent ?

C'est drôle, écrire. La vague impression que ça ne sert pas à grand-chose, la vague impression que tout ça, c'est dans le vide, et pourtant, si vous le lisez, il doit bien y avoir un petit quelque chose. Une raison pour moi de me planter devant mon petit ordinateur quand j'ai éteint la grosse télé. Je ne sais pas. Pourquoi on écrit, déjà ? Il vient d'où ce bien-être, elle vient d'où cette caresse quand on imprime un texte, qu'on le met dans la pile, sans le relire, juste le sentiment d'être mieux, une caresse.

J'écris parce que c'est un massage, parce que c'est une caresse toute douce, une main dans mes cheveux, parce que c'est un coup de vent quand il fait 35 ˚C, parce que c'est une grosse couverture en laine quand il fait -35 ˚C. J'écris parce que ce sont des doigts qui se promènent dans mon dos, un frisson, parce que c'est un frisson éternel qui résonne dans mes épaules, parce que c'est le sourire de cette fille qui habite mes rêves depuis toujours, parce que ce sont les lèvres d'une déesse qui se posent sur les miennes, qui s'y collent.

En plein temps des fêtes, il faut se recueillir. Alors voilà. J'ai passé la journée à me recueillir en me demandant ce que je faisais là, avec cette pile de papier, cette liste de mots, ces phrases sans verbe, ces répétitions, ces répétitions. Et au bout du compte, je ne sais toujours pas, mais je sais que ça me fait du bien. Alors c'est bien.

On continue ? Oui, on continue.

***

J'étais écrasé sur le divan, vraiment écrasé, la télé était embrouillée, moi aussi j'étais embrouillé, presque endormi, juste bien, avec ces images de massage et de main dans les cheveux, et de fille de mes rêves, le pouvoir du cerveau. Écrasé à m'imaginer une fille qui me joue dans les cheveux, et c'était presque comme si elle y était, et ça m'endormait, une main dans les cheveux, et j'étais bien, juste bien. Il y avait Mike, au bout du divan, inconfortable, concentré sur l'attaque à cinq de la Flanelle, qui parlait beaucoup, qui commentait chaque jeu, comme s'il redevenait lui-même le temps de cette soirée, peut-être la première fois qu'il n'était pas avec ma sœur depuis qu'il était avec ma sœur. Et moi, écrasé, somnambule qui ne bouge pas, ses paroles qui me rebondissent dessus et qui s'évanouissent vers la cuisine. Et moi, écrasé, funambule sans corde raide, qui plane, ses paroles hypnotiques, des sons qui m'endorment encore plus.

—Tu parles pas beaucoup, mon Matthieu.

—Mmm?

—Tu parles pas beaucoup. Tu me trouves pas intéressant?

—Non non, je suis juste ben creux dans ma tête.

—En tout cas, c'est plate que tu sois plus avec Julie. T'aurais pu me le dire avant.

—Je pensais que tu le savais. Je pensais que Julie aurait appelé ma sœur.

—En tout cas, quand tu sortiras de ta tête, faut que je te parle.

—On attend-tu la fin de la *game*?

Une heure ou deux pour continuer à planer, je sens vraiment ces doigts de fille, d'une douceur infinie, qui se promènent tranquillement sur ma peau, zigzags sensuels, frissons, frissons.

—C'est quoi ça Matthieu?

—Quoi?

—La pile de papier, là?

—C'est rien.

—Et pis ça, le carnet plein de notes?

—Des notes que je prends pour un projet pour Patrice.

—Comment il va Patrice?

—Il va bien. Il a plein de beaux projets pour devenir une vedette.

—Comme d'habitude.

—Ouais, comme d'habitude.

Se faire masser le crâne, les paupières qui s'écrasent, les muscles qui ramollissent, le bonheur, la musique qui se joue des commentaires de Pierre et Yvon, inventer une musique dans ma tête, chanter sans voix, chanter en silence, se faire masser le crâne.

—C'est un drôle de prénom, Olaf.

—Mmmm ?

—Olaf.

—Quoi, Olaf ?

—C'est un drôle de prénom.

—Je sais pas... On avait pas dit qu'on jaserait seulement après la *game* ?

—Aye, t'es plate à soir, toi.

***

Et comme ça, avec la sirène de la fin, c'était la fin, avec la sirène. Défaite des Canadiens, qui ont tiré 40 fois, mais Kolzig a résisté. Et là, il fallait parler.

—Bon. Là j'suis réveillé. De quoi tu voulais parler, Mike ?

—De ta sœur.

—Tu l'aimes plus ?

—C'est pas ça, mais je me pose des questions.

—Je t'écoute.

—Est-ce qu'elle aime le hockey ?

—Non. Elle déteste ça depuis qu'elle est toute petite. Pourquoi ?

—Pourquoi elle me dit qu'elle aime ça, pis elle écoute les *games* avec moi, d'abord ?

—Pour te faire plaisir, j'imagine.

—Oui mais elle me ment.

—Ben... On peut le voir de même, oui. Mais c'est pas la fin du monde.

—Mais si elle me ment sur ça, ça se peut qu'elle me mente sur plein d'autres affaires.

—Ça se peut. Elle est pas parfaite, ma p'tite sœur, t'sais...

Pour une niaiserie, Mike avait l'air dévasté. Un petit mensonge pour lui plaire, et le doute, les doutes, et tout le reste qui suit comme un raz-de-marée. Le doute, c'est dangereux.

—Au *party* de Noël chez vous... ?

—Oui ?

—Je vais être là, moi, mais peux-tu essayer de parler en privé avec ta sœur ?

—Qu'est-ce que tu veux que je lui dise ?

—Demande-lui ce qu'elle pense de moi.

—Non.

—Comment ça, non ?

—Parce que non. Parce que t'es assez grand pour lui parler tout seul.

Ma p'tite sœur, je te l'avais dit que tu t'embarquais dans un paquet de troubles. Mon p'tit Mike, je te l'avais dit que tu t'embarquais dans un paquet de troubles.

—Qu'est-ce que tu lui donnes pour Noël, à ma sœur ?

—Je lui ai acheté des cartes de hockey de collection.

—Oups.

—Ouais, oups.

Le samedi 27 décembre 2003
CANADIENS 1, HURRICANES 2

Le point qu'on fait quand on perd en prolongation, c'est
le pire point. Un point quand on perd. C'est ce point-là
qui te fait sourire, mon Claude ? Le point que tu gagnes
quand ton équipe perd ? « On est content, on a quand
même un point qui va valoir cher à la fin de la saison. »
C'est de la marde, ça, monsieur Claude. Perdre, c'est
perdre. Quand tu vas perdre en prolongation pendant
les séries, vas-tu inventer un point, juste pour te faire
sentir mieux ?

Patrice était chez moi ce soir, on a jasé pas mal de
son projet, et de Mike aussi. Mike qui n'avait pas trop
l'air de filer au *party* de famille. Et Nath qui faisait semblant d'être contente quand elle a déballé ses cartes de
hockey, et Mike qui m'a fait un gros soupir en retour,
et Nath qui m'a fait un gros soupir presque en même
temps. Drôle de *party*. J'ai dû parler de Julie à tout le
monde, j'ai inventé des histoires. La plupart du temps,

je disais qu'elle m'avait trompé et que mes principes ne me permettaient pas de continuer une relation comme ça. Pour des mononcles et des matantes, ça passe bien. Mieux que l'inverse. Alors voilà. Je suis un trou de cul, je sais.

Et je suis mémère, j'ai raconté tout ça à Patrice ce soir, les histoires de cœur de Mike et ma sœur. Quoique c'est pas grave, parce qu'il n'écoutait pas.

— Pis, mon portfolio ? (Il m'a posé la question 28 fois avant celle-ci.)

— O.K., j'ai eu une idée.

— C'est-tu une bonne idée ?

— C'est quoi c'te question là ? Je sais pas, moi, tu vas me le dire.

— O.K., je t'écoute.

— Qu'est-ce que tu dirais si, pour chaque photo qu'il va y avoir dans ton portfolio, je t'écrivais une petite histoire ?

— Quel genre d'histoire ?

— Des histoires, de la fiction, comme des mini-nouvelles, toutes différentes, mais qui seraient toutes racontées par le même personnage. Pis le personnage, y aurait ton nom. Ça serait cool, non ?

— Inspiré par les photos ?

— Oui, inspiré par les photos. Je sais pas, mettons que sur la photo t'es torse nu avec un chapeau de cowboy, ben en dessous, on met une histoire où tu racontes une aventure torride qui t'est arrivée dans un ranch.

— Mais les gens vont se demander si ça m'est vraiment arrivé...

— Je sais pas. C'est pas important. Faque... Qu'est-ce que t'en dis ?

— Je pense que j'aime ça.

— ...

—Ouais, j'aime ça.

— ...

—J'aime vraiment ça.

Et l'enthousiasme dans ses yeux est devenu lumineux. Il m'en a parlé pendant deux heures, deux heures à répéter ce que je lui avais dit, le bonheur de savoir qu'en plus d'être beau, il serait le héros d'un paquet de petites histoires...

Patrice, super-héros.

Et pendant ce temps-là, Donald Audette va être mis au ballottage lundi.

Le lundi 29 décembre 2003
CANADIENS 2, THRASHERS 1

Le soleil frappait ma peau depuis le début de la journée. La sueur perlait sur mon torse, créant des reflets qui ne pouvaient échapper au regard d'Annabelle. Depuis des mois maintenant, nos regards se croisaient plusieurs fois chaque jour, sans toutefois que nous ayons échangé le moindre mot. Sa beauté m'éblouissait chaque jour davantage, paralysant ma confiance habituellement inébranlable. Elle avait dans les yeux cette étincelle que l'homme passe sa vie à chercher, cette étincelle que j'avais vue dès le jour où j'avais mis les pieds dans ce ranch perdu.

Chaque jour, chaque heure, chaque minute, Annabelle piétinait mon esprit, inlassablement. Et je me demandais si c'était là, ce moment que j'attendais, ce moment où elle viendrait me parler. Je ne savais même pas si elle savait que je me nommais Patrice. Je ne savais même pas si elle savait quoi que ce soit de moi, si elle savait ce qui se cachait sous ce chapeau de cowboy que je portais avec fierté. Chacun de ses gestes faisait naître l'espoir, l'espoir qu'elle s'avance vers moi enfin. Mais chaque fois qu'elle faisait un pas vers moi, c'était pour arrêter son élan dès le pas suivant, comme Théo qui arrête un tir précis d'Ilya Kovalchuk. [Oups, ça faudra penser à l'enlever]

Et chaque fois, c'était comme un coup de poing à mon visage, l'espoir qui s'estompe, et j'étais sonné, comme Saku après le coup de coude violent que Marc Savard vient de lui donner. [Oups encore. Coudon, c'est un bon match, qu'est-ce que je fais là, moi, à écrire pour Pat ?]

Le mercredi 31 décembre 2003
CANADIENS 1, STARS 1

Bon bon bon. Pensiez-vous vraiment que j'allais regarder une *game* de hockey la veille du jour de l'An ? Ben non. J'étais parti me saouler. Et là il est 4 heures du matin, et je suis saoul. J'ai passé la soirée à boire en regardant du monde danser. Moi je ne danse pas, mais j'aime ça regarder, surtout les filles, surtout les filles en camisole avec des grosses boules.

Je suis saoul, j'ai le droit de dire ce que je veux. Alors oui, j'aime ça regarder danser des filles avec des grosses boules qui rebondissent, et puis oui, je m'imagine ce que je leur ferais si elles étaient dans mon lit. Na.

Les baiser fort par en arrière.

Baiser tout court.

Bonne année, là.

Janvier 2004

Patrice était content. Un paquet de petites histoires pour aller avec ses photos, que je n'ai pas vues, mais il m'a dit comment elles allaient être. Paquet de petites histoires niaiseuses, mais je savais qu'il aimerait, je le fais passer pour un gars *tough* et viril.

Je lui ai fait lire ça pendant le match, match d'après-midi, match quand il fait clair, méchant bon match aussi. Oui, bon, je sais, c'est juste quelques histoires courtes, mais Patrice, il ne lit pas vite, alors oui, c'est ce qu'il a fait pendant tout le match. Ou presque. Plein de petites histoires niaiseuses, pour aller avec plein de photos niaiseuses, si vous voulez mon avis.

— Si je serais une fille, je t'embrasserais.

— Merci, Pat.

Le dimanche 4 janvier 2004
CANADIENS 4, CAPITALS 1

C'est quoi ça, un match à 17 h ? Je n'ai jamais vu ça, moi, un match à 17 h. Je suis tout mélangé, là.

Et une victoire, en plus, une deuxième de suite. Deux buts une passe pour Ryder, le jeune a décidément beaucoup de talent, une petite attitude aussi. Et comme ça, mine de rien, en ce début d'année, c'est la moitié de la saison, exactement, et nos valeureux guerriers tricolores sont quatre matchs au-dessus de 500. Ça fait 504.

Et moi dans tout ça ? Moi rien. Je regarde presque tous les jours la fissure dans le mur, j'ai des amis fuckés, je ne comprends pas toujours ce qui se passe, mais je vous le raconte pareil, j'écoute le dernier album de Vincent Vallières sans arrêt, vraiment sans arrêt, surtout *Blues Baby*, et aussi la dernière toune, qui parle de hockey, de 1986, de Mats Naslund et de Bobby Smith, les souvenirs, petits et grands, proches et éloignés, et je pense beaucoup, c'est ça que je fais, je pense beaucoup, trop peut-être, et c'est une estie de longue phrase, ça.

Moi rien. J'attends la suite. Ding ding, tournez la page.

Le mardi 6 janvier 2004
CANADIENS 3, SABRES 1

J'ai le sentiment qu'il faut que je choisisse, et pourtant c'est le genre de choix que je ne veux pas faire. D'un côté, ma petite sœur, de l'autre, mon meilleur ami. Les deux ont besoin de moi, et moi, j'ai le sentiment qu'il faut que je choisisse l'un ou l'autre. Comme quand on regarde un match de quoi que ce soit, l'impression qu'on doit avoir un favori, sinon c'est plate.

Mais je ne veux pas choisir.

Quand Nathalie m'a appelé cet après-midi, j'ai entendu la tristesse dès ses premiers mots. Son besoin d'être consolée, conseillée, son besoin de voir son grand frère. C'est moi ça, son grand frère.

— C'est toute de ta faute ça. À quoi ça sert d'avoir un grand frère si y nous plonge dans la marde ?

Moi ça ? Qu'est-ce que j'ai fait, moi ? Dans sa tête de petite sœur jamais contente, elle a réussi à se rentrer l'idée que tout ce qui lui arrive de mal, c'est à cause du hockey. Si ça ne marche plus trop entre les deux, aussi vite, c'est à cause du hockey. S'il ne la regarde plus avec la même ardeur, c'est à cause du hockey. S'il n'a plus envie d'elle autant qu'avant, c'est à cause du hockey.

Et le hockey, pour elle, c'est moi.

—Qu'est-ce que t'avais d'affaire à me dire de faire semblant d'aimer ça, aussi ? Tu le sais que j'haïs ça.

—J't'ai jamais dit de faire semblant pendant des mois, là...

—J'suis plus capable. Tu peux pas savoir, j'suis plus capable. Moi, les Méchants Mardis Molson Ex, Danièle Sauvageau, les attaques massives, les passes dans les patins... Si je vois une autre passe dans les patins cette année, je pense que je te tue.

J'ai fermé la télé.

Et j'ai fait ce que je fais depuis toujours avec elle, pour elle, ma petite sœur que j'aime tellement quand même, parce que le sang, c'est fort. J'ai réfléchi à sa place, la réflexion automatique qu'elle gobe et qu'elle accepte, par réflexe.

—Nath, ma p'tite Nath, tu le sais que ça a rien à voir avec le hockey. Lui y aime ça, toi, t'aimes pas ça, dites-vous-le en pleine face, pis c'est tout. Sauf que je pense pas que ça va tellement bien aller, même après avoir réglé l'affaire du hockey. Qu'est-ce que t'en penses ?

—Je sais pas.

—T'aimes-tu ça être avec lui ?

—Je sais plus.

—Quand il est chez vous, as-tu hâte qu'il s'en aille ?

—Des fois.

—C'est pas juste le hockey, donc...

—Non, c'est pas juste le hockey...

À coup de caresses verbales, de douceurs de voix, j'ai calmé ma p'tite Nath, pour qu'elle puisse réfléchir d'elle-même. Pour qu'elle oublie les passes dans les patins et qu'elle voie plus loin que les murs d'un amphithéâtre.

— T'as peut-être raison. Je vais y penser.

— Prends ton temps, ma belle, t'es pas obligée de décider quelque chose tout de suite.

— T'as raison.

— Faque tu m'en veux-tu encore ?

— Ben non, gros tata. Tu le sais ben que je t'aime.

Elle s'est endormie sur le sofa, un mini-sourire qui traînait dans le coin de son visage. Oui, elle est belle, ma sœur. Quand elle dort comme ça, quand elle m'engueule pour rien et qu'on se réconcilie en deux minutes, je la trouve belle. Jusqu'à ce qu'elle dise n'importe quoi dans son sommeil.

— Dans le frigo. J'ai jamais mis d'oignons dans mes valises.

Le jeudi 8 janvier 2004
CANADIENS 1, LIGHTNING 4

En me levant ce matin, j'ai eu l'impression que j'étais dans une prison, l'impression que les fenêtres n'existaient pas chez moi, que la télé était un mur de béton. J'ai passé deux heures assis devant la fenêtre de ma chambre, pour me libérer. Regarder le monde, la vie, la neige, le froid, les gens qui soufflent, les chars qui glissent. Ça m'a fait du bien, c'est niaiseux, ça fait du bien. Évadé pour quelques heures.

Ma sœur est encore chez moi, elle dort encore. Troisième jour qu'elle est ici, elle réfléchit, je crois. Elle dort et, de temps en temps, elle parle à Mike au téléphone, pour qu'il ne s'inquiète pas, il doit bien rester un petit quelque chose... Elle invente des excuses atroces pour qu'il ne soupçonne pas qu'elle ne file pas. Elle raconte qu'elle doit rester ici pour me tenir compagnie, parce que j'ai le moral à terre à cause de Julie. C'est pas vrai, je vais plutôt bien, inexplicablement, mais plutôt bien.

Julie est dans ma tête seulement quelques minutes par heure, elle se promène tranquillement, puis s'en va.

***

Elle me fait rire, Nath. Elle dit à Mike que je file pas à cause de Ju, mais pas une maudite fois en trois jours elle m'a demandé si ça allait. Prise dans ses problèmes, c'est normal, je la comprends. Et je suis là pour elle, depuis toujours, pas l'inverse.

J'ai regardé le match en tout petit, dans le *picture-in-picture*, dans le coin inférieur gauche, pendant que 90 % de l'écran était pris par un film poche qui faisait rire Nath. Un tout petit match avec un tout petit gars qui a compté deux buts et fait deux passes, un tout petit Martin St-Louis qui nous a piétinés.

Je pense que Nath a surtout regardé le coin en haut à droite, pour être certaine de ne pas voir le moindre bout de glace dans ma portion d'écran. À la fin du match, elle m'a parlé de Claude.

—Il sourit-tu, le *coach*, ou je rêve ?

—Je sais pas, c'est trop petit.

Huit-zéro. Chaque fois que j'assiste à un massacre, j'imagine les statisticiens de RDS courir partout en riant, comme des flos la veille de Noël. La quête des records, comme s'ils comptaient leurs cadeaux en dessous du sapin.

Un samedi après-midi d'hiver, j'imagine que les cotes d'écoute sont plus basses que les samedis soirs, c'est le moment qu'a choisi Souray pour porter fièrement le 44 de Phaphane et faire plein de points... Un but, cinq passes. La dernière fois qu'un défenseur des Canadiens a fait six points dans un match, c'était jamais. C'est tout dire. M. Norris, nous prêtez-vous votre trophée pour une année ? Non ? Bah, je comprends, c'est quand même juste Souray.

Je me suis fait un *grilled cheese* pendant le premier entracte, et j'ai regardé les deux dernières périodes avec amusement. Le sourire léger du partisan qui n'a rien d'autre à faire que regarder son équipe détruire l'autre équipe. Le sourire léger du gars qui a la tête vide, spectateur sans pensées, les changements de trios qui passent, les publicités, les dégagements refusés, les batailles le long de la rampe.

Huit-zéro. Ça leur apprendra à avoir le nom d'un oiseau qui ne vole même pas.

Le mardi 13 janvier 2004
CANADIENS 5, BLUES 2

C'était une soirée atrocement ordinaire, différente mais ordinaire, lourde, avec ma sœur et Mike, les deux à la fois, bizarre de scène.

Mike était là depuis une demi-heure, écrasé dans le sofa en silence, écrasé, le regard par terre, comme d'habitude, mais encore plus par terre, il me semblait. Et ça a cogné à la porte, et c'était Nathalie, qui débarquait sans avoir averti. Quand elle a vu que Mike était là, sa face s'est déconfite.

—Ah, t'es là...

Et Mike a regardé par terre, muet. Et Nath est entrée quand même et s'est assise sur le sofa, le plus loin possible de Mike, à des kilomètres, je crois. Et moi, j'étais dans le milieu, sans savoir quoi dire, sans savoir quoi faire.

Les deux étaient venus pour me parler de l'autre, bien sûr, alors là, ils n'avaient plus rien à dire. Ils se sont parlé mécaniquement toute la soirée, étrangement, presque sans arrêt, les conversations surréelles du ti-couple qui ne marche plus, les banalités plates, les regards qui s'évitent, les sourires vers le bas.

Une scène surréelle, je me suis souvenu de la soirée où je les avais matchés, le même genre de conversations vides, le même genre de conversations qui veulent dire « j'sais pas quoi dire ». Une soirée d'anti-cruise.

—As-tu lavé la vaisselle, finalement ?
—Oui, mais pas toute.

—Je trouve plus mon chandail bleu.
—Celui avec les manches trop courtes ?
—Non, l'autre.
—Y est peut-être dans ton tiroir d'en bas.
—Oui, peut-être.

—Qu'est-ce que tu fais demain ?
—Je sais pas, pourquoi ?
—Pour rien. Pour savoir.
—Voulais-tu qu'on aille au cinéma ?
—Non, pas vraiment.

En termes de hockey, je dirais qu'ils ont encore des chances mathématiques, mais que, dans les faits, ils sont certains d'être éliminés.

Au milieu de ces belles paroles, j'avais envie de me tirer une balle dans la tête. L'arbitre au milieu, qui a rangé son sifflet. Pas question que je parle, pas question que j'intervienne, et ils le savaient.

D'après moi, en sortant d'ici, ils se sont laissés officiellement. À moins que Mike se soit assommé sur un poteau parce qu'il regardait trop par terre.

***

Une soirée ordinaire, plate ordinaire, comme je disais. En fait, le seul moment de bonheur de la soirée, je le dois à Pierre Houde. Dans la foule, au Centre Bell, il y avait un groupe de danseuses de chez Parée, et évidemment le caméraman cochon de service ce soir les montrait assez souvent. Ce qui a fait dire à Pierre Houde, avant d'aller à une pause : « Vous regardez les Méchants Mardis Molson Ex... et un peu plus... à RDS. »

J'ai ri. Les trois, on a ri. Ça a fait du bien pendant quelques secondes, le temps d'entendre Nathalie dire à Mike que c'est pas lui qui serait capable de la faire rire comme ça. Alors on a arrêté de rire, les trois, et c'était reparti pour le plate ordinaire.

Le mercredi 14 janvier 2004
Canadiens 2, Thrashers 1

Sixième victoire en sept matchs, grâce à un but chanceux de Ribeiro. C'est drôle, parce que mon Mike à moi, lui, il n'est pas chanceux.

Hier soir, j'étais plein de prémonitions. Mike s'est assommé sur un poteau en sortant de chez moi, parce qu'il regardait trop par terre. Il était sonné, mais ça n'a pas empêché Nath de le laisser quelques instants plus tard. Il était par terre, en train de ramasser ses esprits, et ma sœur, ça lui ressemble, elle a profité du fait qu'elle se sentait plus grande pour lui dire que ça ne marchait plus. Et Mike a dit c'est beau championne, tu viens de t'en rendre compte ? Et Nath a dit fais-moi pas chier, t'es mal placé pour me niaiser. Et Mike a dit tu vas me crisser là de même, au lieu de m'aider à me relever ? Et Nath a dit oui, c'est en plein ça que je vais faire. Et Mike a dit Matthieu me l'avait dit que t'étais rien qu'une salope. Et Nath a donné un grand coup de pied dans les couilles de

Mike, et est partie. Et Mike aurait bien voulu répliquer, mais il avait trop mal.

***

Alors voilà Mike sur mon sofa, un sac de glace sur le front (le poteau) et un autre entre les jambes (le pied de Nath). La douleur, par contre, était pas mal plus intérieure. Abattu, le Mike, c'est étonnant, parce qu'il n'était plus heureux avec elle, mais bon, ça fait toujours mal quand même, je le sais.

—Comment ça se fait que ça marche jamais, mes histoires ?

Je ne savais vraiment pas quoi lui dire, du tout, jamais. T'es un *loser*, ça se dit pas vraiment, dans ces circonstances-là. Je ne savais pas quoi dire, je n'ai rien dit.

—Dis-moi quelque chose, Matt. Encourage-moi un peu.

—Je sais pas quoi te dire, Mike.

—Dis-moi n'importe quoi, mais dis quelque chose.

—N'importe quoi ?

—Oui, n'importe quoi.

—O.K. Ben… Euh… Une de perdue, dix de retrouvées.

—Estie que t'es épais.

—Comme ça, j'suis rien qu'une salope ?

—Han ?

—Quand est-ce que t'as dit à Mike que j'étais une salope ?

Oups. Mike et sa grande gueule, moi et ma grande gueule, belle combinaison de tatas.

—J'ai jamais dit ça, Nath.

—Ta gueule. Toi t'es rien qu'un estie de salaud.

—Moi ça ?

—Oui, toi ça. Le frère qui dit qu'il ferait n'importe quoi pour moi, pis qui m'insulte dans mon dos.

—Ben là… J'ai pas dit ça pour te faire du mal…

—Ferme donc la télé, là, qu'on parle comme du monde.

—Mais là… C'est 2-2 pis il reste deux minutes…

—J'm'en crisse, ferme ton ostie de grosse télé. C'est-tu elle qui te rend épais, ou quoi ?

—Ça se peut, oui...

À contre-cœur, j'ai éteint la télé, je me suis assis le dos droit, et j'ai regardé Nath droit dans les yeux, pendant longtemps, des heures peut-être, pour qu'elle voie ce que j'étais vraiment, pour qu'elle voie que moi aussi, je peux dire des niaiseries, qu'elle n'avait pas l'exclusivité des erreurs de jugement. Des heures peut-être, pour qu'elle voie l'horizon, pour qu'elle voie la *big picture*, la grosse photo de toute cette situation.

Je le savais que ça me retomberait sur le nez un jour ou l'autre, cette histoire-là. Je savais qu'au bout du compte, les deux m'en voudraient, alors qu'ils me suppliaient de les présenter l'un à l'autre.

—J'pensais que t'étais de mon bord, Matthieu.

—Je suis pas du bord de personne, Nath. J'ai pas le droit d'être d'un bord ou de l'autre là-dedans, tu le sais, je t'en ai déjà parlé...

—Pis dire à l'autre que je suis une salope, c'est pas être d'un bord, ça ?

—C'était avant que vous sortiez ensemble, ça.

—C'est pas une excuse, ça.

—Oui, c'est une excuse.

—Ben elle est pas bonne, ton excuse.

—J'ai jamais dit qu'elle était bonne.

Et ça a duré, je vous l'épargne, ça a duré. Et comme chaque fois qu'on s'engueule (qu'elle m'engueule, en fait), elle a fini par se calmer, tranquillement, au bout de milliers de secondes. Il commençait à faire clair dehors, la lueur du jour par la fenêtre givrée de la salle de bain, que je vois du salon.

—Je suis pas bien, Matt.

—T'es triste, ma p'tite Nath ?

—J'étais tellement bien avec Mike, y a quelques semaines... Comment ça a pu foirer aussi vite ?

—Je le sais pas. Ça arrive, t'sais.

—Oui, je sais. Ça m'arrive tout le temps. Tout le temps.

—Ben non...

—Ben oui.

—O.K., ça t'arrive souvent, mais tu vas finir par trouver le bon, j'suis sûr. T'sais, y a plein de poissons dans la mer.

—Estie que t'es épais.

Le mardi 20 janvier 2004
CANADIENS 4, FLYERS 1

Ils sont beaux à voir jouer, nos Canadiens. Ryder, Ribeiro, Koivu, Zednik, Bulis... Ils sont beaux à voir jouer. On jurerait qu'ils peuvent écraser n'importe qui, qu'ils sont plus rapides que tout le monde.

Et comme ça, avec des beaux matchs, des beaux jeux, des bons joueurs pleins de confiance, l'odeur de Lord Stanley me monte au nez, et c'est cool. Ça sent la coupe. *Yes.*

Il y a Bob Gainey qui m'embrasse goulûment sur la bouche, avec la langue, c'est le bonheur, vas-y mon Bob, frenche-moi avec ton accent. Et il y a Saku qui me prend dans ses bras et qui me soulève. J'ai peur qu'il se blesse, qu'il se casse quelque chose, mais c'est pas grave, il aura tout l'été pour guérir. Il y a le champagne qui coule dans les yeux de Jean Pagé, qui rit comme un épais en disant que ça pique. Il y a Théo qui a enlevé ses jambières, et qui me fesse dessus avec, sans arrêt, en sautant partout.

On a gagné la coupe, en sept, et c'est moi qui ai compté le but gagnant. Mon cellulaire sonne, et c'est George W qui veut me féliciter d'avoir défait les « evil-doers » d'une feinte savante en deuxième prolongation. Puis il y a Alain Crête qui met un micro devant ma face et qui me perce un tympan en me demandant :

— Alors, Matthieu, tes impressions ?

— Euh… Je le réalise pas encore. C'est certain que c'est extraordinaire, mais j'pense que c'est une victoire d'équipe, c'est certain. Les gars ont travaillé fort, pis c'est sûr, pis je le réalise pas, c'est certain. Wooooooooooooooooooooooouh.

En me donnant le Conn Smythe, Gary Bettman m'a crevé un œil avec une des pointes, mais c'est pas grave, j'aurai juste à jouer avec une visière l'an prochain. Pendant que tous les gars sont torse nu, y a Julie qui entre dans la chambre des joueurs, le sourire fendu jusqu'aux joues, elle est contente, on a gagné la coupe. Mais c'est pas moi qu'elle va voir, c'est Brent Gilchrist, qu'est-ce qu'il fait là, lui ? Elle l'embrasse passionnément, lui mord un mamelon et commence à lui enlever ses culottes. Elle est là, devant tous les gars, en train de lui faire une pipe, et Gilchrist, couvert de champagne, donne une entrevue à CBC en même temps. Sacrament, Ginette. Et dans un coin, il y a Pierre Lambert qui se bat avec Denis Mercure. Tout ça pour une négresse, disent-ils. Et tout le monde crie à l'unisson : « Prends-le pas de même, Pierre. — Je le prends pas de même, je le prends pas pantoute. »

Puis les esprits se calment, et on boit dans la coupe, mais c'est du lait, avec des Frosted Flakes, et Bob Gainey me fait un clin d'œil.

Et c'est tout. En une fraction de seconde, je suis au centre de la glace avec un petit Russe blondinet qui veut passer à l'Ouest. Je fais quoi, je l'aide ?

***

Oups. Scusez.

Le samedi 24 janvier 2004
CANADIENS 1, MAPLE LEAFS 4

C'est toujours quand ça sent que ça arrête de sentir. Hier soir, j'ai dormi tout le long de la défaite, mais ce soir, non. J'ai assisté *live* à la deuxième défaite de suite. Ils sont tout dessaisis, là, nos Glorieux. Va falloir qu'ils se ressaisissent.

***

En fait, j'allais m'endormir au milieu de la première, je ne sais pas ce que j'ai de ce temps-ci, je suis fatigué tout le temps, le manque de lumière, le manque de vie. Mais ça a cogné à la porte, un cognement de fille. Une fille, ça cogne différent. Ça cogne avec des mains de fille, pleines de doigts de fille. Ça fait poc poc poc au lieu de toc toc toc.

— Poc poc poc.

— Tourne la bobinette et la chevillette chérira, ma chérie.

Je pensais que c'était ma sœur. C'était pas ma sœur. C'était Andréanne. Vous savez, la Marie ou Brigitte de Richard qui s'appelle Andréanne, celle qui voulait rien savoir de lui… C'était elle. Quand je l'ai vue, j'ai fait un saut, et elle est entrée. Pendant cinq minutes, j'ai regardé derrière elle pour voir avec qui elle était.

—Je suis toute seule.

—Ah ? Euh… Ben entre…

—Je suis déjà en dedans.

—Ben… Euh… Entre encore plus.

Elle s'est assise, avec son corps magnifique et son visage ordinaire, mais surtout avec ses boules.

—Je te dérange pas ?

—Nonon, j'écoutais le hockey.

—C'est ce que je pensais. Je peux-tu l'écouter avec toi ?

—Euh… Oui oui… T'as pas de télé ?

—Oui, j'ai une télé.

—O.K…

—La tienne est grosse.

La mienne est grosse ? Qu'est-ce qu'elle en sait ? Ah, O.K., ma télé…

—Ta blonde est pas là ?

—Non.

—Elle est où ?

—Je sais pas. Ben, on est plus ensemble.

—Oui, je sais.

—Comment ça ?

—Richard me l'a dit.

—Tu parles encore à Richard ?

—De temps en temps.

—Mais là… Pourquoi tu me demandes si elle est là si tu sais qu'on est plus ensemble ?

—Ton nom, là, tu l'écris-tu avec deux t ?

—Oui, pourquoi ?

—J'aime mieux avec deux *t*.

J'avais déjà entendu ça, mais chaque fois ça me fait craquer. Ça et un sourire. Elle a souri, j'ai craqué pour vrai.

Quand on s'est rhabillés, on est restés silencieux pendant une heure à s'échanger des sourires niaiseux, qui ne voulaient rien dire, mais ça faisait du bien. Dans le silence, j'ai vu la fissure dans le mur, maudite craque à souvenirs. Julie, tu m'en veux-tu ? Et puis j'ai oublié, tout de suite, interrompu par la langue d'Andréanne qui se promenait sur mon ventre, comme si elle avait vu que Julie était entrée, comme pour la chasser aussi vite.

On a baisé pendant des heures (dans ma tête), probablement des minutes, et c'était bon, naturel, excitant. Comme une douleur qui disparaît.

Elle est partie sans me laisser son numéro, ou son nom de famille, ou rien. Elle a dit qu'elle reviendrait.

Le mardi 27 janvier 2004
CANADIENS 1, SABRES 4

Un méchant mardi à attendre avec des Molson Ex qui se vident petit à petit. L'attente, c'est terrible, quand on ne sait pas si on attend quelque chose.

Il fait tellement froid depuis une semaine, des affaires comme -35 degrés, une température pour attendre avec une bière, en dessous des couvertes. J'ai froid au plancher, mes articulations vont mal, font mal aussi.

Et la troupe de Claude s'effondre, c'était 1-1 après la deuxième, et puis pouf, c'était 4-1. Troisième de suite, ça va sentir le golf plus que la coupe, si ça continue.

***

J'ai passé la soirée à attendre Andréanne, elle n'est pas venue. Attendre, c'est terrible, quand on ne sait pas si on attend quelque chose.

Et après, la culpabilité. Mike qui m'a appelé en larmes, besoin de jaser, besoin de me voir, et je lui ai dit non, je peux pas, j'attends quelqu'un. Peut-être, j'aurais dû rajouter peut-être. J'attends peut-être quelqu'un.

La culpabilité, prise deux. Darren qui m'a appelé, ça fait des siècles, pas de nouvelles depuis qu'il m'a cassé la gueule, et je n'ai même pas répondu, j'ai laissé mon répondeur s'en occuper.

—Matthieu, c'est Darren, je voulais savoir comment tu vas. Je… Je… Je voulais m'excuser aussi. Pour les coups de poing… Pis pour Julie… Rappelle-moi.

Je ne l'ai pas rappelé, je vais le rappeler une autre fois. Là, je suis occupé. Occupé à attendre dans le vide. Attendre rien, mais peut-être.

***

Un méchant mardi à attendre avec des Molson Ex, attendre qu'elle ne vienne pas, Andréanne, au point de me demander si je l'ai inventée ou si elle existe vraiment.

Le jeudi 29 janvier 2004
Canadiens 3, Wild 2

L'attente, pour certains, est beaucoup plus tolérable que pour d'autres (que pour moi, dans les circonstances). Brisebois, par exemple, qu'on aimait donc huer les dernières années, et moins cette année. Lui sait attendre. Il a compté son premier but de la saison ce soir. Wouhou.

Moi, par contre, l'attente, ça m'angoisse. Parce que quand j'attends, je ne suis pas capable de faire quoi que ce soit d'autre. Attendre, c'est une activité. Qu'est-ce que tu vas faire en attendant, mon Matthieu ? En attendant, je vais attendre. Ça devient insoutenable très rapidement, attendre en attendant.

Là, deuxième soir d'attente, c'était déjà insoutenable. J'ai appelé Richard pour qu'il me donne le numéro d'Andréanne. Je me suis dit que s'ils se parlaient, les deux, elle devait lui avoir parlé de moi.

—Allô Richard ?

—Un instant, s'il vous plaît.

J'oublie toujours qu'il a un coloc.

—Ouain ?

—Hey Rick !

—Ouain.

—C'est Matthieu.

—Salut.

—Ça va ?

—Tu donnes pas souvent de nouvelles...

—Toi non plus, t'sais... Comment ça va ?

—T'appelles ben de bonne heure...

—Y est 8 heures du soir...

—Déjà ? Mais il fait encore noir...

—...

—Qu'est-ce que tu veux ?

—Ben, t'sais Andréanne ?

—La fille qui veut rien savoir de moi...

—Ouais... Pourrais-tu me donner son numéro ?

—Pour quoi faire ?

—Elle t'a pas parlé de moi ?

—Pourquoi elle m'aurait parlé de toi ? *Anyway*, je lui ai pas parlé depuis une couple de mois.

—Ah ?

—Pourquoi tu veux son numéro ?

—Ben, elle pis moi... T'sais... L'autre jour elle est venue chez moi, pis t'sais...

—T'es pas sérieux ?

—Très sérieux.

Et là, la ligne a coupé. J'ai rappelé, et ça a sonné dans le vide.

Quelques heures plus tard, tout de suite après notre but en prolongation, Richard m'a rappelé. Pour me donner de la marde. Sans me laisser placer un mot.

—Là écoute-moi, le fin fin. Tu me dis de l'oublier, qu'elle est pas pour moi, juste pour te la pogner ? Je sais pas à quoi tu joues, monsieur Conseils, mais j'ai jamais mérité ça, moi, me faire niaiser de même par quelqu'un que je considérais comme un ami.

— Mais là...

— Regarde, y a pas trente-six mille explications, si tu veux la baiser, tant mieux pour toi, mais j'en reviens pas que t'aies le culot de m'appeler pour me demander son numéro. Tu penses-tu que j'ai besoin de ça, moi, que tu viennes me niaiser de même ? Bye.

Et là, la ligne a encore coupé. Décidément, les lignes ne sont pas très solides.

Leçon du jour : ne pas toucher à une conquête, ex-conquête ou non-conquête de Richard ; monsieur le séducteur est susceptible.

Et avec tout ça, je n'ai toujours pas le numéro d'Andréanne. C'est peut-être mieux comme ça, dans le fond. Dans quelques jours, je vais pouvoir reparler à Richard, lui dire ce qui s'est passé et lui annoncer qu'elle m'a encore plus niaisé que lui, et il va pouvoir se sentir meilleur que moi avec les filles, et ça va lui faire plaisir, et je vais être son ami de nouveau.

Yé.

Un après-midi écrasé dans le sofa, comme toujours, écrasé dans le sofa depuis le début de l'année.

J'étais en train de penser à Andréanne, à me demander pourquoi je me suis emporté aussi vite, pour une aventure de cul mystérieuse, quelques heures et c'était tout, deux trois mots au plus. Pourquoi j'ai trippé autant, pourquoi j'ai autant attendu qu'elle revienne? Et je me disais que c'était vraiment mieux comme ça, que j'aurais du temps pour rattraper le temps avec mes amis, Richard et Mike et Darren, que de toute façon je n'ai pas besoin d'une fille, surtout pas d'une fille qui vient chez moi pour baiser sans donner de nouvelles après, quand poc poc poc. Les doigts de fille, mon cœur qui s'emballe.

C'était Andréanne. J'étais l'homme le plus heureux sur terre. Les amis? Quels amis?

—Salut mon beau.

—Salut Andréanne. Je commençais à penser que je te reverrais plus jamais.

—Pis ça te faisait de la peine?

—Oui.

—J'suis là, là.

—Je vois ben ça. T'es belle, t'sais...

—Tu dis ça pour m'attirer dans ton lit...

—Ça marche-tu?

—Oui.

***

En me rhabillant, j'ai vu une idée s'allumer dans les yeux d'Andréanne. Une petite idée de rien, mais je l'ai vue. On dirait que moins on parle, plus on voit des choses qu'on ne voit pas d'habitude. Des idées dans des yeux, par exemple.

—À quoi tu penses?

—Je trouve que t'es un bon baiseur.

—Et?

—Et, je sais pas...

—Quoi?

—Quoi, quoi?

—C'est quoi ton idée?

—Quelle idée?

—L'idée que t'as dans les yeux...

—Ben... non, c'est rien.

On est allés regarder les Canadiens perdre dans le salon, et je gardais l'idée de l'idée dans ma tête, dans ses yeux.

—Bon ben, y ont perdu. Je vais y aller, moi...

—Attends, Andréanne.

—Qu'est-ce qu'il y a?

—C'est quoi ton idée?...

—Fatigant...

—Oui, je sais...

—O.K., tant pis pour toi. Serais-tu partant pour un *trip* à trois?

—Euh…

—C'est ça que je pensais…

—Ben euh, quel genre de *trip* à trois?

—Nous deux pis un autre gars…

—Euh…

—C'est ça, euh… C'est correct, je savais que c'était pas ton genre. On se revoit bientôt?

—Attends, laisse-moi juste le temps d'y penser.

—Combien de temps?

—Je sais pas, deux secondes.

—O.K.

—[Un Mississippi, deux Mississippi]

—Pis?

—Ouais, ça serait cool.

—O.K. Trouve un gars, un beau gars bâti pis pas gêné, pis on se reparle.

Elle m'a laissé son numéro (yé), elle m'a laissé la responsabilité de trouver un gars, elle m'a laissé embêté, aussi.

Moi, dans un *trip* à trois. C'est n'importe quoi. Moi, ça? C'est tellement pas mon genre. Surtout que bon, j'ai-tu envie de la voir se faire défoncer par un beau gars bâti, moi? Devant moi… Pfiou. Aucune idée dans quoi je m'embarque, mais on verra bien. Je n'ai pas le choix, et c'est entièrement de ma faute: les deux secondes que j'avais pour réfléchir, je m'en suis servi pour regarder ses boules à la place. Ça m'apprendra.

Février 2004

Journée de sport. Ironiquement, journée avec ma petite sœur. Elle qui n'aime pas le sport. Mais bon. Au moins, elle a bien ri en voyant la boule de Janet Jackson au spectacle de la mi-temps du Super Bowl. Ça faisait du bien. Elle a l'air triste, de ce temps-ci, l'air froissée. Elle ne dort pas beaucoup, je crois ; elle a dormi la tête sur mes cuisses, mes mains dans ses cheveux, pendant la troisième période. Elle a manqué la portion bizarre du match : après deux périodes, on menait 5-1 et, en troisième, on a failli se faire fourrer. Et sur cette pensée de fourrage, j'ai flashé : mes problèmes de *trip* à trois, c'est à elle que je devais en parler. Ma p'tite sœur salope (mais dites-lui pas que je vous l'ai dit), c'est sûr qu'elle a déjà fait ça, elle.

— Nath, réveille-toi.

— La *game* est finie ?

— Oui, la *game* est finie. Pis il faut que je te parle.

— De quoi ?

— De quelque chose.

— Des histoires de filles ?

— Oui, un peu…

Pouf, les mots magiques, elle s'est levée d'un trait. Mémère, la sœur.

— Qu'est-ce qui se passe ? T'as rencontré une fille ?

— T'es ben mémère…

— Oui, c'est pas nouveau. Pis ?

— Ben… Oui, mais c'est pas ça le problème. Ben, c'est bizarre.

— Comment ça ?

— Ben, pour l'instant, c'est plus, genre, une *fuck friend*. Mais c'est pas de ça que je veux te parler.

— Une *fuck friend* ? Toi ?

— Oui, je sais, ça me va pas, han ?

— Pas pantoute. Je suis sûre que t'es en amour avec…

— Peut-être…

— Pis c'est ça le problème ?

— Non.

— C'est quoi ?

— Ben, elle veut qu'on fasse un *trip* à trois. Pis moi j'ai dit oui.

Elle est partie à rire.

— As-tu déjà fait ça, toi, un *trip* à trois ?

— J'ai-tu l'air d'une salope ?

— C'est pas ça que j'ai dit.

— Je sais, j'te niaise. Oui, j'ai déjà fait ça. Pis crois-moi, c'est pas pour toi.

— Non ?

— Oh que non. T'es beaucoup trop sensible pour ça. Tu tombes en amour trop facilement pour ça. T'as vu *Québec-Montréal* ?

— Oui.

—Ben c'est en plein ça. Tu vas t'imaginer des choses qui existent pas, des étincelles dans les yeux… Ça va finir tout croche, c't'histoire-là. Tu vas te faire mal…

—Tu penses ?

—J'suis sûre.

—Mais là j'ai pas le choix, j'ai déjà dit oui.

—Ben rentre-toi dans la tête que c'est juste du cul, pis répète-toi-le sans arrêt jusqu'à ce que ça soit fini. Commence maintenant.

—C'est juste du cul c'est juste du cul c'est juste du cul c'est juste du cul c'est juste du cul. Pis là faut que je trouve l'autre gars, en plus.

—José.

—José ?

—Ben oui, ton ami José. Dis-moi pas que t'as pas pensé tout de suite à José. Beau bonhomme, tout le monde l'aime, elle va être contente, ta pitoune.

—José, vraiment, tu penses ?

—Ben oui. C'est sûr.

O.K. José. Monsieur populaire, un gars de la gang que je ne connais pas tant que ça, trop occupé à être aimé par tout le monde, rarement besoin d'aide, un des rares à ne pas me voir comme le centre de notre monde. L'été passé, on avait passé quelques jours ensemble, il avait des problèmes familiaux, mais c'est à peu près tout. Autrement, on se croise de temps en temps, on se dit salut ça va, et on se répond oui, pas pire. Et c'est ça.

Oui, c'est pas mal, ça, José. Andréanne va trouver qu'il fait l'affaire, c'est sûr, elle va me trouver bon d'avoir trouvé ce gars-là pour notre *trip*. Reste à le convaincre, mais bon, ça ne devrait pas être trop dur.

—Merci ma p'tite Nath, t'es un ange.

—Moi aussi je peux t'aider, tu vois ?

—Oui, je vois.

Petite pause.

— T'aurais pas un autre ami que tu pourrais me présenter ?

Normalement, j'aurais crié non en une fraction de seconde. Mais là, depuis la crise post-Mike, il y a en moi ce sentiment oppressant que je lui en dois une, drôle de sentiment, ce sentiment qui m'a fait dire :

— Oui, peut-être. Mais cette fois-ci, je vais y penser comme il faut. Je veux te trouver un gars qui te mérite vraiment.

— T'es fin.

— J'suis ton frère.

— T'es fin, mon frère.

— Je t'aime, ma sœur.

— Bonne chance pour ton *trip* à trois...

— Ta gueule.

— Tu m'aimes moins, là, han ? Tu y pensais déjà plus ?

— Non, j'y pensais plus trop. Je te cherchais un gars.

— Tu chercheras plus tard, là faut que tu penses à ton affaire.

— T'as raison.

— Qu'est-ce qu'on dit ?

— C'est juste du cul ?

— Non, on dit merci, nono.

— Merci, nono.

— Niaiseux.

Un match plate, je devais avoir la tête ailleurs. (C'est juste du cul c'est juste du cul c'est juste du cul c'est juste du cul c'est juste du cul c'est juste du cul.)

J'ai appelé José hier, pour l'inviter à venir écouter le match avec moi, en lui disant que j'avais quelque chose à lui demander. Il m'a dit qu'il viendrait faire un tour, pas longtemps, parce qu'il avait plein d'autres plans.

C'est ce qu'il a fait. Un petit tour pas longtemps, le temps que je lui dise salut ça va, et qu'il me dise ça va pas pire.

Comme je ne sais jamais comment lui parler, je lui ai demandé directement.

—Bon, tu vas trouver ça bizarre, mais ça te tente-tu de participer à un *trip* à trois avec moi pis une fille que j'ai rencontrée récemment ?

—Elle a-tu des grosses boules ?

—Oui.

—On fait ça quand ?

Comme ça, c'était conclu, tout était prêt, on avait le monde, l'endroit et le temps, et pouf, je n'avais plus le choix. (C'est juste du cul.) (Vraiment ?) (Oui, vraiment.)

Le jeudi 5 février 2004
CANADIENS 2, ISLANDERS 1

C'est bizarre, dans mon monde. Cette obligation qu'on se donne de tout faire les jours où il y a des parties, comme si la vie sautait des jours, et pourtant non, mais c'est comme si, depuis toujours, avec ma gang. Il ne se passe rien quand il n'y a pas de hockey. Il se passe tout quand il y a du hockey. C'est comme ça depuis des années.

Naturel, donc, que le *trip* à trois se passe un soir de *game*, avec le son de la *game* en *background*, sur mon grand lit où j'ai fait l'amour avec Julie tellement de fois, et là, oui bon, oublions l'amour, parce que vous savez quoi ? C'est juste du cul.

(Tu m'en veux, Ju ? Tu t'ennuies de moi, des fois ? Pourquoi tu m'appelles pas ? Si tu me donnais un peu de nouvelles, peut-être que je ne me serais pas retrouvé dans cette situation, totalement mal à l'aise, pas à ma place, chez moi pas à ma place. Si tu m'appelais de temps en temps, Andréanne ne m'intéresserait même pas, si tu m'appelais de temps en temps. Mais jamais, c'est pas assez souvent, alors elle m'intéresse, Andréanne.)

Et ses boules intéressent José, qui se met au travail assez rapidement, et elle a l'air d'aimer ça, Andréanne. C'est excitant, troublant, et excitant, je ne sais pas trop quoi faire, où aller, où me placer, quoi faire de mes mains. Andréanne voit bien que je ne suis pas dans mon élément.

— Arrête d'essayer de réfléchir, Matt.

— O.K.

— Laisse-toi aller, pis profites-en. C'est juste du cul.

— Toi aussi tu dis ça ?

— Han ?

— Non rien, laisse faire.

On a baisé de plein de façons différentes, pendant une heure, avec la sueur et les cris, et je crois qu'à la fin je m'en venais pas pire. Pour moi, c'était une compétition, c'est ce que j'ai trouvé de mieux pour m'amuser. Faire mieux que José, plaire plus à Andréanne que José. La faire jouir plus fort, plus longtemps, mieux.

Je pense que j'ai gagné, parce que quand ça a été terminé, c'est moi qu'elle est venue embrasser tendrement. Quoique ça, c'est peut-être parce que José était déjà en train de s'arranger dans la salle de bain, parce qu'il avait autre chose à faire plus tard.

— As-tu aimé ça, mon beau ?

— Euh...

— C'est ça que je pensais...

— Toi, as-tu aimé ça ?

— Oui, beaucoup. T'as bien choisi l'autre gars, en tout cas.

— Pis moi ?

— T'étais parfait.

J'étais parfait. Vous avez entendu ça ? J'étais parfait.

—J'entendais pas trop la *game*, je criais trop fort. Les Canadiens ont-tu gagné ?

—Je pense que oui, mais c'est vrai que tu criais fort.

—En tout cas, j'espère qu'ils ont gagné, c'était un match important.

—Oui, c'était un match important.

—Pis là, c'est la pause du match des étoiles...

—Je sais pas pourquoi ils font pas ça à la mi-saison.

—C'est vrai, c'est niaiseux.

—T'as vraiment trouvé que j'étais parfait ?

—Oui, t'étais parfait, mon cœur.

Le mardi 10 février 2004
Canadiens 1, Panthers 2

Ça fait cinq jours que j'essaie d'effacer de ma tête les images de jeudi passé. C'était pas mal, belle expérience d'un autre monde, mais je n'aime pas les images que j'ai dans la tête. José qui baise la fille qui me plaît, j'allais dire ma blonde, c'est pas ma blonde, mais j'aimerais peut-être ça. José qui la baise et elle qui aime ça, j'essaie d'effacer ça de ma tête, mais c'est pas facile.

Ce soir, dans le sofa, on était écrasés l'un sur l'autre, Andréanne et moi, et ça faisait du bien, ça aide à effacer, ça aide à croire. C'est beau, la foi. Et ses seins sont confortables. Quand je suis dans ses bras et qu'elle me joue dans les cheveux, José s'estompe tranquillement.

Ce soir, c'était le premier match depuis le match des étoiles, et Kozlov nous a compté deux buts en sept secondes. J'étais aux toilettes.

***

Petite pause commentaire :

Pendant le match des étoiles, ils ont dit que dès la saison prochaine, les gardiens n'auraient peut-être pas le droit d'aller derrière leur filet. Mon avis : c'est de la marde. Ça va juste encourager les équipes à domper la *puck* dans le fond plus souvent, parce que ça va être plus facile de la récupérer si le gardien ne l'intercepte pas. C'est niaiseux. C'est le jeu le plus poche du hockey, le dompage.

Autre commentaire :

Rick Nash est gros, mais j'ai rarement vu des mains pareilles. Au match des étoiles, il a donné un aperçu de son talent, c'était spectaculaire. Mais encore mieux, l'autre jour, je l'ai vu faire une feinte complètement folle en prolongation d'un match ordinaire et compter le but victorieux. Tout un joueur de hockey, tout jeune et déjà incroyablement spectaculaire. Alors bravo Rick.

Fin des commentaires.

***

Le match était presque fini, il était quoi, neuf heures et demie ? Je ne sais plus, je ne regarde pas souvent l'heure, le temps est une chose étrange pour moi, le temps me fait peur un peu. Vieillir, regarder l'heure qui passe, me demander ce que je fais de mon temps, ce sont des choses qui me font peur. Sur mon magnétoscope, il est toujours midi, et ça flashe, et c'est très bien comme ça.

Il était donc midi qui flashe, vers la fin de la partie, quand Richard est arrivé, l'air piteux. Quand il a vu qu'Andréanne était là, il a eu l'air encore plus piteux. C'est drôle, la confiance, quand ça n'existe plus. Andréanne a vu qu'il n'était pas dans son assiette, et que ce n'était sûrement pas sa présence qui allait le remettre dedans.

—Bon, faut que j'y aille, moi. Salut Matt. Salut Richard.

—Salut.

—Salut.

(— Appelle-moi.)

Sur cette parole, comme un souffle, entre parenthèses, elle est partie sans me donner de bec. C'est normal, pauvre Richard, mais c'est plate, pauvre moi.

—Qu'est-ce qui va pas, mon Rick ?

—Tu sors-tu avec elle officiellement, là ?

—Je sais pas trop. C'est bizarre, comme relation.

—Tu l'aimes-tu ?

—Je sais pas. J'pense que oui.

—Pis elle ?

—Je sais pas. J'pense que oui.

—Pourquoi elle t'a pas donné de bec, d'abord ?

Oui, pourquoi ?

Anyway. On a changé de sujet, c'était naturel, ni lui ni moi ne voulions continuer à parler d'Andréanne. J'ai vite constaté qu'il avait oublié sa crise de l'autre fois, il est comme ça, Richard. Un jour en crisse, l'autre jour il ne s'en souvient plus. Et moi je n'insiste pas, bien sûr.

En quelques secondes, comme toujours, il s'est lancé dans un monologue. Je crois que j'ai dit deux fois oui, et deux fois je sais pas, en deux heures.

Les petits problèmes sont toujours gros, avec Richard. Petits problèmes de cœur, grand cœur. C'est un bon gars, Richard, mais il ne le sait pas encore, il pense encore qu'il devrait être un *tough*, il pense encore qu'il est une machine de séduction insensible.

—Penses-tu que je pourrais passer une couple de jours ici ? Je suis plus capable d'être chez nous.

—Oui.

—C'est parce que j'ai rencontré une fille, une belle fille super cool, je l'adore, mais quand je l'ai rencontrée, elle avait des problèmes avec son père, faque je l'ai invitée à passer du temps chez nous. Pis là, elle colle. Elle veut plus s'en aller, pis j'sais pas quoi faire. Je veux pas être chien avec elle. Qu'est-ce qu'on fait dans ce temps-là ?

—Je sais pas.

—C'est pas que je l'aime pas, mais t'sais moi, quand ça dure plus que deux jours, je panique. D'habitude, je réponds plus au téléphone, pis je rappelle pas, les filles comprennent assez vite, mais là elle habite chez nous. Penses-tu que si j'habite ici, que si je retourne pas chez nous pendant un bout de temps, elle va comprendre ?

—Je sais pas.

—Ça me stresse, ça. J'ai aucune idée quoi faire avec ça. J'ai juste besoin de temps pour réfléchir. T'es sûr que c'est correct si je reste ici une couple de jours ?

—Oui.

Et comme ça, sans avertissement, j'avais un coloc pour un bout de temps. Le temps de réfléchir, mais je savais bien que la réflexion, c'est moi qui la ferais, parce que tout ce que Richard sait faire, c'est raconter une histoire dix mille fois, de dix mille façons différentes, toujours la même histoire.

Le jeudi 12 février 2004
CANADIENS 3, LIGHTNING 5

— Faque c'est une fille que j'ai rencontrée l'autre soir, elle est cute, pis ben ben l'fun, je l'adore. Pis on a commencé à parler, pis elle m'a dit qu'elle habitait chez ses parents, mais qu'elle était plus capable de sentir son père. Faque moi je lui ai dit qu'elle pouvait rester chez nous. Pis là, elle s'est installée, on dirait. Elle s'en va pas, pis j'sais pas quoi faire. Je veux pas être méchant avec elle. Qu'est-ce qu'on fait dans ce temps-là ?

— Je sais pas.

— Je l'aime pas mal, c'te fille-là, mais t'sais moi, rester avec une fille plus que deux jours, ça me fait pas. La plupart du temps, je m'arrange pour faire le mort, les filles comprennent que je veux plus rien savoir, mais là, elle reste chez moi, elle s'en va pas. Penses-tu que si je passe du temps ici, elle va comprendre que je veux pas être avec elle ?

— Je sais pas.

— J'aime pas ça, c'te situation-là. J'sais pas quoi faire avec ça. J'ai juste besoin de temps pour y penser. T'es sûr que c'est correct si je reste ici une couple de jours ?

— Oui.

Dix mille fois la même histoire.

La fille s'appelle Émilie. C'est drôle, d'habitude c'est moi qui suis pogné avec des Émilies. Mon cher Richard, c'est à ton tour. Paquet de troubles, les Émilies, historiquement.

Cette Émilie-là, elle est pas mal plus jeune que lui, une dizaine d'années plus jeune. Belle comme un cœur, semble-t-il, et douce et drôle. Un ange, c'est ce que Richard a dit. Un ange. Puis il a dit que si les Canadiens se faisaient compter plus que trois buts en troisième période, il buvait toute la bouteille de Jack Daniel's.

Les Canadiens se sont fait compter quatre buts en troisième, évidemment. Richard a été malade assez vite. Ça l'a ralenti dans son racontage d'histoire, mais c'était drôle quand même.

Je t'ai jamais vu comme ça avec une fille, Richard. Et ça n'a rien à voir avec le fait qu'elle habite chez toi. D'habitude, tu t'en crisses, des filles que tu rencontres. Tu joues avec elles sans t'en soucier. Pas là. Si ça avait été n'importe quelle autre fille, tu te serais pas gêné. Tu serais pas ici aujourd'hui, tu l'aurais juste crissée dehors.

Tu l'as appelée cet après-midi, pour lui souhaiter bonne Saint-Valentin. C'est pas toi, ça. Ou bien c'est toi, qu'on découvre.

Parce que je pense que t'es pas ce que tu voudrais être. T'es pas *tough*, Richard. T'es pas un vrai séducteur sans scrupules. T'es un sensible, je l'ai toujours su, je me suis toujours demandé quand ça sortirait, t'es un sensible, pis je pense que c'est là que ça sort. Ça te fait peur, c'est normal. Ça te fait peur parce que c'est nouveau, tu sais pas quoi faire, mais moi je pense que t'es en train de tomber en amour, mon Rick. L'amour, ça fait peur, je sais. Ça fait peur parce que ça fait mal. Ça fait peur parce qu'on contrôle rien. T'es habitué d'avoir le contrôle, là tu l'as plus. Ça fait peur, je sais.

T'es content qu'elle soit chez toi, dans le fond. T'as juste trop peur pour y être avec elle. Tu veux pas qu'elle s'en aille, mais ça serait donc facile.

T'as quel âge, Rick? Trente ans? Ça fait peur, découvrir qu'on est quelqu'un d'autre aussi tard. Je sais. Mais tu vas voir, c'est tellement cool être en amour. C'est cool, pis ça fait mal, la ligne est mince entre le bonheur et la douleur, tu le sais peut-être pas encore, mais tu vas le découvrir.

Sauf que ça vaut la peine. Une seconde d'amour, ça vaut mille fois plus que des années de baise insignifiante. Tu le sais pas encore, ça te fait peur. Mais Rick, je te le dis, faut que tu plonges, un jour, faut toujours que tu plonges, un jour.

Faut toujours que tu plonges, un jour.

Trois jours sans un mot, Richard est dans sa tête, c'est rare, c'est bon signe. Ou peut-être pas, c'est dur à dire.

Il parle avec Émilie au téléphone pendant des heures, il ne dit pas grand-chose, il l'écoute, il a l'air d'aimer ça, c'est rare, c'est nouveau. Écouter, sourire (tendrement), des verbes qui ne faisaient pas partie de son existence. Et là, Émilie. Paquet de troubles, les Émilies, je vous l'avais dit. Facile de tomber en amour avec une Émilie, facile de ne plus rien comprendre.

On a regardé le match en silence, sans bouger, comme deux gars en guerre, et pourtant. On s'est commandé du Saint-Hubert, on avait faim, on l'a inhalé. On avait l'air triste, les deux, et pourtant.

— C'est nouveau, la craque dans le mur à côté de la télé ?

— Non, ça fait un p'tit bout qu'elle est là.

— Je l'avais pas remarquée.

L'air était lourd, ce soir. Une quatrième défaite de suite pour nos Flanelleux, le silence dans mon salon, Souray absent pour six semaines, le vent qui fait vibrer les fenêtres. L'air était lourd, ce soir. Le poids du vide, peut-être, ou la respiration rendue difficile par la vie qui s'égrène. Dans ma tête, c'était comme ça, ce soir.

—Vas-tu manger le reste de tes frites ?

—Quel reste ? Il m'en reste plus.

—Ah, O.K., j'avais pas vu.

Une semaine à m'occuper de Richard, à réfléchir pour lui. À le guider dans l'inconnu, à lui montrer les pas, à embrouiller la peur, petit à petit, à dissiper la peur. À l'orienter.

Je suis une boussole.

Et je m'ennuie d'Andréanne, un peu. En fait, je me force, un peu. Je suis en manque de cul, c'est surtout le manque de cul qui m'accable, mais ça fait longtemps que je ne me suis pas senti comme ça, alors je préfère penser que je m'ennuie d'elle au complet. Je ne comprends plus trop ce qui se passe dans mon cœur. Être le cerveau de Richard, ça m'a épuisé, être mon cerveau à moi, ça m'épuise toujours, aussi. Je suis un peu perdu, boussole déboussolée, il est où le nord magnétique ? Julie, viens me voir deux minutes, montre-moi le nord magnétique.

Quand je pense à Andréanne, et à l'ennui, c'est plus fort que moi, ça dévie, tranquillement au début, imperceptible pente, puis de plus en plus vite, et c'est Julie qui apparaît, et là je me réveille, et je bloque. Je change de sujet.

—Perdre contre les Thrashers, quand même…

—Ouain.

J'ai bâillé, de fatigue ou d'ennui, ça a fait bâiller Richard. Il s'est retenu un peu, j'ai cru voir dans son œil une petite larme, la larme de quand on se retient de bâiller, puis dans cette larme, un petit éclair, tout petit, j'ai peut-être halluciné. Petit éclair tout petit, deux secondes plus tard, ou trois, Richard s'est levé d'un trait, bloing, et m'a regardé en souriant.

—T'as raison, Matt.

—Sur quoi ?

—Je pense que je l'aime.

—Booooon. C'est bien, ça.

—Je pense que je l'aime.

Et il est parti, sans jeter sa boîte de poulet.

Public ingrat. Quelques défaites mal placées, les esprits s'échauffent, et comme ça, pour une niaiserie, vous huez Saku. Huer Saku, vous vous rendez compte ? Pour une histoire de poussaillage avec Ribeiro dans une pratique, vous huez le capitaine, le vaillant p'tit fatigant, notre Saku...

Vous n'avez rien compris. C'est Brisebois qu'il faut huer. Toujours Brisebois.

***

— Ça a pas de bon sens.

— Quoi ça ?

— L'histoire de la bataille entre Koivu pis Ribeiro. C'est comme si c'était la fin du monde, c'est presque pire que le 11 septembre. C'était sur la première page de *La Presse*, tu te rends compte ?

— Non.

Mike est bizarre. Ça faisait un bout qu'on s'était vus, je l'avais laissé tomber l'autre fois pour attendre Andréanne, je pensais qu'il m'en voudrait, mais non. Quand il est entré, il m'a serré dans ses bras, il ne me serre jamais dans ses bras.

Et l'heure qui a suivi, il était là mais pas là. L'air vide mais serein. Serein mais vide.

— J'ai pas le goût d'écouter du hockey, Matt. On va-tu prendre une bière ?

— O.K.

***

Oui, bon. C'est dur d'être infidèle, alors on a fait un compromis. On est allés au Champs, sur Saint-Laurent, voir le reste de la *game* en prenant une bière. Mike souriait niaiseusement, comme un gars qui sort d'une cabine privée dans un club de danseuses, mais plus longtemps. Toute la soirée, sourire niaiseux.

— Matt, faut que je te remercie.

— Pourquoi ?

— De pas m'avoir rappelé l'autre fois. Quand je t'ai appelé en braillant, pis que tu m'as envoyé promener.

— Ouais, je voulais m'excuser…

— Nonon, c'est parfait. C'est en plein ce que ça me prenait. J'avais besoin de me faire dire non, que quelqu'un m'oblige à être tout seul avec mes problèmes. C'est ça que j'ai compris quand on a raccroché. Que j'essayais toujours de couvrir mes problèmes en parlant avec du monde, pour qu'ils réfléchissent à ma place…

— Toi aussi…

— T'es comme ça toi aussi ?

— Non, Richard.

— Ah oui ? Je pensais pas ça… *Anyway*, c'est ça. J'ai compris qu'il fallait que je passe du temps avec moi-même, que je sois tout seul pour penser à mes affaires. Pis ça a marché. Là, je vais super bien. Je suis super confiant, aussi, checke ça.

Pour me montrer sa confiance, il a accroché la serveuse, une Carole, je crois, et s'est mis à la cruiser sans classe. Et la Carole, elle n'avait pas l'air de détester ça.

—*Good for you*, mon chum. C'est vrai que t'as l'air bien.

—Bien, tu dis ? J'ai jamais été aussi bien.

À la fin de la soirée, à moitié pompette, il m'a demandé de m'en aller du bar, pour qu'il puisse cruiser la serveuse en paix. Folle jeunesse.

Le samedi 21 février 2004
CANADIENS 4, MAPLE LEAFS 5

La nuit dernière, j'ai fait un rêve cochon, mais cochon très très. Avec des boules et des fesses et des langues, et tout ce qu'il y a autour. Quand je me suis réveillé, j'étais troublé, l'envie de me rendormir pour y retourner, dans ce rêve magnifiquement pornographique. Ce genre d'images fortes, des images tactiles, des souvenirs réels plus qu'imaginaires, ça s'imprime dans les yeux et sous la peau, ça ne disparaît pas facilement, même quand on frotte fort.

J'ai pensé à mon rêve toute la journée, en essayant de mettre des visages sur les corps, mais j'ai fini par comprendre que pour ce type de voyages, pour ce type de visions sensorielles, les visages ne servent à rien. Ce qui compte, ce sont les boules, les fesses et les langues, surtout les langues. Et que j'avais la liberté de choisir les visages que je voulais, des ex ou des inconnues, ou des célébrités, Charlize Theron peut-être, oui, pourquoi pas ?

Et moi, gros épais, j'ai mis le visage d'Andréanne. Aucune idée pourquoi, un réflexe, je m'ennuie de son corps à elle, sans doute. Et je l'ai appelée.

—J'ai rêvé à toi cette nuit.

—C'était-tu un rêve cochon ?

—Oui.

—J'étais-tu bonne ?

—Oui, t'étais écœurante.

—Mieux qu'en vrai ?

—Ben... euh...

Ça faisait plus d'une semaine que je ne l'avais pas vue, ni embrassée, le temps de boussoler Richard, en fait. Et là, j'avais hâte de la voir, un mix entre le rêve et les souvenirs, c'est drôle comme on oublie vite un visage. J'avais hâte de voir son visage, pour être certain que je ne l'avais pas réellement oubliée. La toucher pour sentir qu'elle était vraie, la toucher pour sentir que j'étais vrai, aussi.

—Je m'ennuie de toi, Andréanne.

—T'es fin...

—Non, c'est vrai.

—Je te crois.

J'espérais entendre un retour, une réflexion, un miroir. Moi aussi, je m'ennuie. Mais non, rien de ça. Je suis fin, ça a l'air. Et elle me croit, ça a l'air. Poche.

—Veux-tu venir chez moi ce soir. Y a du hockey.

—J'aimerais ça, mais je peux pas. J'ai déjà des plans.

—C'est quoi tes plans ?

—Je vais prendre une bière avec des amies.

Le *e*, toujours le *e* à amies, que je mets avec espoir...

—Mais là, tu peux pas changer tes plans ? J'ai vraiment le goût de te voir...

—T'es en manque de cul, c'est ça ?

—Ben... Pas juste ça. J'ai le goût de te voir aussi.

—T'es fin.

—Pis je suis en manque aussi, oui.

—Je peux vraiment pas, j'ai promis que j'y allais, avec mes amies.

—O.K., je comprends... C'est poche pareil.

—Tu vas être obligé de te crosser...

Oui, je vais être obligé de me crosser. Pas facile, avec la face de Mats Sundin qui fait trois pieds de large sur mon écran.

Le lundi 23 février 2004
CANADIENS 4, RANGERS 1

On a battu une équipe pleine de talent et de dollars, mais sans âme. Une équipe qui ne fera pas les séries malgré ses gros noms, qui ne fait pas les séries depuis tellement longtemps, qui change de gros noms chaque année, qui rajoute des noms de plus en plus gros, mais c'est pas les gros noms qui font une grosse équipe. Ça prend des petits noms. Comme Jason Krog. Ça c'est un petit nom.

***

— As-tu écouté *Star Académie* hier ?
— Non. Toi ?
— Non.

En fait, je l'avais écouté, mais je n'avais pas le goût d'en parler avec quelqu'un qui ne l'avait pas vu. Quoique. Mais Mike, ce n'est pas tellement son genre d'émission, de toute façon. Je pense que même si je lui en parlais, il s'en crisserait. Quoique.

—Il paraît que le gars qui s'est fait éliminer, c'est un ancien des Remparts.

—Ah oui?

—Oui. Pis il avait été repêché par les Canadiens en 96.

—On l'a jamais vu jouer?

—Non.

—Au moins, il va pouvoir chanter l'hymne national.

—Il chante pas très bien.

—Tu l'as regardé, donc...

—Ben...

En observant le sourire niaiseux de Mike toute la soirée, ce sourire imprimé par-dessus ses dents trop blanches, j'ai encore eu ce sentiment bizarre que les choses étaient en train de changer. Pas juste pour lui, pas juste pour moi non plus. Pour tout le monde. Pour notre petit univers, le sentiment que les choses bougeaient, se déplaçaient, un retour vers les sourires, les gars vont aller mieux, les gars rebondissent. Et moi, je rebondis? Non, pas vraiment.

—Je sais pas ce qui se passe avec Andréanne. J'ai l'impression que ça va foirer...

—Moi, jeudi, j'ai fini la soirée avec Amy...

—Amy?

—La serveuse du Champs...

—Ah, Carole.

—Carole?

—Je pensais qu'elle s'appelait Carole.

—Non, elle s'appelle Amy.

—Je trouvais ça drôle, aussi, qu'elle s'appelle Carole pis qu'elle ait un aussi gros accent anglais.

Mike qui devient Don Juan, décidément, les choses changent. Mike qui se tient droit, qui regarde droit, aussi, comme s'il était tanné d'analyser le plancher, comme s'il venait de se rendre compte que la vie est plus belle vers le haut.

Mike qui rit, Mike qui est baveux, Mike qui parle fort.

— J'te le dis, Matt, j'ai jamais baisé de même.

— Est-ce que je suis obligé de savoir ça ?

— Non, mais t'sais, quand tu te poses pas de questions, pis que tu fais les pires cochonneries comme si c'était complètement naturel...

— J'suis content pour toi.

— Elle m'a même laissé venir dans sa face.

— Je suis content pour toi.

Mike qui parle de cul, Mike qui me regarde de haut, Mike qui n'a plus besoin de béquilles pour se tenir debout.

— Pour quelqu'un qui score jamais, mon Mike, je te trouve pas pire...

— J'suis un homme nouveau.

— Je vois ben ça.

— Pis je me suis fait blanchir les dents vendredi passé.

Le mardi 24 février 2004
CANADIENS 4, SÉNATEURS 2

On est mardi soir, et franchement, je n'ai pas envie de vous écrire. Il est presque minuit, je suis fatigué, j'ai froid, j'ai chaud aussi, des frissons poches, soirée poche. La nuit s'annonce longue, à remplir d'alcool, à remplir de rêves, mais pas de sommeil. J'ai les articulations enflées, les jointures enflées. Les touches du clavier sont plus souffrantes que d'habitude. J'ai mal aux touches du clavier, jusque dans la mâchoire que je serre trop, jusque dans les genoux qui tremblent.

Pourtant.

Plus tôt cet après-midi, il devait être deux heures ou trois, en plein milieu de rien, Andréanne m'a appelé pour s'inviter chez moi. Elle a dit deux mots, pas vraiment plus, et dans sa voix il y avait un tremblement qui a résonné dans mes côtes, une vibration bof. Je ne suis pas épais, je savais bien ce qui s'en venait. Elle allait entrer, pousser la porte, dire « faut qu'on se parle », l'universel

« faut qu'on se parle », puis dire « ça marche plus », puis repartir en me regardant fermer la porte, en soufflant « j'aimerais vraiment ça qu'on reste amis », l'universel « j'aimerais vraiment ça qu'on reste amis ». C'était correct. Je m'y attendais, je ne l'aimais pas tant que ça, elle était confortable, une chaleur qui fait du bien, mais ce n'était pas la fille de ma vie, ce n'était pas Julie.

Pourtant.

Quand elle a cogné, ça ne s'est pas passé comme dans ma tête. Ça ne se passe jamais comme dans ma tête, il faudrait que je la change. Elle a poussé la porte, a souri d'un beau sourire, chaleureux comme une caresse, comme une main qui agrippe le coin d'une chemise et qui tire. Et elle a placé tendrement son sourire sur le mien. On s'est lancés sur les coussins du sofa, enlacés et chauds, baisers passionnés, baise passionnée. Pouf, comme ça, comme l'inverse de l'histoire qu'il y avait dans ma tête, j'étais de retour sur un nuage. Nuage cochon, avec des vapeurs de sexe.

Pendant que ses doigts faisaient des motifs sur mon crâne et que je ronronnais, Saku prenait les choses en mains sur la glace, surtout après la deuxième période, et le petit Ryder marquait deux fois. Tout semblait bien beau. Bien bien beau.

Et pourtant.

Quand la sirène est sortie de l'eau pour annoncer la fin du match, et que tous les joueurs sont allés cogner leur casque sur le masque du gardien, les mains d'Andréanne ont quitté mon corps mystérieusement, et un vent froid a traversé l'appart. Elle s'est reculée le plus loin qu'elle pouvait sur le sofa et s'est assise en Indien, de côté, pour me faire face, et sa face était défaite, comme si un drame venait de se passer, alors qu'il allait se passer. Le drame par anticipation dans un sourire qui s'envole.

—Matthieu, faut qu'on se parle.

—Ah?

—Ça marche plus.

—Ah non?

—Non. Ben, j't'aime ben, mais ça peut pas continuer.

—Comment ça?

—Ben… je sais pas. Ça marche juste pas assez. Pis j'ai peut-être rencontré quelqu'un d'autre.

—Qui?

—José.

Ma sœur me l'avait dit, que les *trips* à trois ce n'était pas bon pour moi.

—Pourquoi tu me l'as pas dit au début de la soirée?

—Je savais pas comment.

—C'est vraiment poche.

—Mais j'aimerais vraiment ça qu'on reste amis.

Ben oui. Amis. Je suis bon là-dedans, les amis. J'ai pas la colonne pour les envoyer chier, les amis. Pas la colonne pour t'envoyer chier, toi, Andréanne. Avant que t'arrives ce soir, je pensais que tu t'en venais casser. Mais quand t'es arrivée, avec ton sourire et tes becs et ta baise, t'as réussi à tout effacer ça, une grosse éponge bien mouillée. C'était pour mieux réécrire? Pour que les traits soient frais, pour que la coupure soit violente, pour me faire mal? Ben, non, je le sais que non, je le sais que t'as pas de méchanceté en toi, mais ça fait mal. C'est niaiseux, ça fait mal. T'es pas méchante, mais l'ironie du Méchant Mardi est douloureuse. Je prendrais bien une Molson Ex, tant qu'à y être.

Et puis oui, on peut rester amis, je suis bon là-dedans. Tout ce que tu veux, ma belle, j'ai pas la force de me battre contre toi. Pas le *guts*, pas la colonne.

—Oui.

Elle a souri, sourire sincère, trop sincère, et elle est partie en me donnant un bec sur la joue, comme si on avait toujours été amis, comme si c'était ça notre vie.

Et là, je me sens tout seul.

Quand Craig Rivet met la main à la pâte, ça fait du pain qui patine pas vite.

Mais ça fait des victoires en prolongation. Yé. Et Ryder a encore compté. Ça rime avec Calder, un peu.

***

C'est poche, se faire laisser comme ça, sans sentiments ni douceur. Je vais m'en remettre, c'est pas comme si j'étais désespérément en amour avec Andréanne, vous savez. Oui, vous savez. Mais quand même, se faire laisser, c'est la confirmation qu'on a quelque chose de désagréable, c'est toujours un peu dur sur l'orgueil.

C'est ce que j'ai essayé de raconter à Richard quand il m'a appelé et qu'il m'a demandé comment j'allais. Mais il m'a interrompu au milieu de ma première phrase. Tu me conteras ça tantôt, je vais venir écouter la *game* chez vous, qu'il m'a dit. J'ai une surprise pour toi, qu'il m'a dit.

Une surprise ? C'est chouette, ça, les surprises.

Quand il a sonné, vers midi qui flashe, je n'ai pas répondu.

— Ta sonnette marche pas ?

— Ça fait des mois qu'elle marche pas.

— Ah. Aye Matt, j't'e présente Émilie.

Il était venu en couple, avec les sourires parallèles, main dans la main, le double bonheur. Une belle petite beauté, cette Émilie, pas étonnant, c'est une Émilie.

— Enchanté.

— Enchantée.

(Pour une fois que je mets un *e* en étant sûr qu'il va là…)

Ils sont entrés synchronisés, ils vont bien ensemble. Se sont assis synchronisés, se sont embrassés légèrement, effleuré la peau, Richard a pris la télécommande, elle a soupiré. Ils vont bien ensemble.

— Aye, Matt, c'est-tu une année bissextile, c't'année ?

J'ai pas eu le temps de dire « je sais pas ». Émilie m'a battu. « Je sais pas », qu'elle a dit.

Une coupeuse de parole, ça c'est plate. Mais bon, elle a l'air bien quand même, elle est belle et jeune, et Richard a l'air bien aussi, il est beau et un peu moins jeune. Richard en amour, c'est surprenant, ça fait peur un peu.

— C'est quoi ta surprise, mon Rick ?

— Ben, c'est ça.

— Quoi, ça ?

— Ben, Émilie. Que je l'aime, comme t'avais dit. T'es pas content ?

— …

— T'es pas content ?

—Oui oui, j'suis content. C'est une belle surprise.

—Je le savais que tu serais content.

Et la soirée s'est déroulée comme un tapis, en poussant un peu, un peu croche vers la fin, plouf, ça donne un petit coup. Un petit coup *shit*. Vers la fin, Richard m'a regardé d'un coup, comme s'il venait de se souvenir de quelque chose d'important.

—As-tu des nouvelles de Darren ? Il paraît qu'il va pas bien du tout.

—*Shit*.

—Quoi, *shit* ?

—Non rien. Non, j'ai pas de nouvelles.

Shit, c'est que *shit*, j'avais oublié Darren. Comment j'ai pu, comment j'ai fait ? Il m'avait laissé un message, je ne l'ai jamais rappelé, je suis un terrible ami. Il voulait s'excuser, je ne lui ai même pas donné la chance. Je suis un ami terrible.

—Je vais l'appeler.

—Tu devrais.

—Je sais. Je vais l'appeler.

—Oui, tu devrais.

Le samedi 28 février 2004
CANADIENS 1, HURRICANES 0

—Allô Darren ?
　　—Oui.
　　—C'est Matthieu.
　　—Allô.
　　—Viens chez moi ce soir.
　　—T'es sûr ?
　　—Oui.

***

Au téléphone, il avait eu l'air détruit. Pour l'accueillir, j'ai mis un casque de hockey, avec une grille. Il a souri.

—Fais-toi z'en pas, je te casserai pas la gueule une autre fois.
—T'es sûr ?
—En fait, je pensais que c'était toi qui voudrais me casser la gueule.

— Je serais jamais capable.

— Mais tu voudrais ?

— Ben non. Pourquoi je voudrais te casser la gueule ?

— Parce que tu m'en veux.

— C'est pas toi qui m'en veux ?

Et c'était ça. La constatation que le silence est la pire source de silence. Moins on parle, moins on parle. Aussi simple que ça. Et de là, l'escalade de la réflexion, les deux on se sent terriblement coupables, les deux, on veut s'excuser, les deux on ne comprend plus rien… C'est parce que les deux, on est des bons gars.

— T'sais c'est quoi notre problème, Darren ?

— Non.

— On est trop des bons gars.

— Dis ça à Raphaëlle.

— Mouais… Lui parles-tu de temps en temps ?

— Un peu. Pas beaucoup. T'sais, moi, parler…

— Comment elle va ?

— Elle va bien. Elle s'ennuie pas de moi. En tout cas c'est ça qu'elle dit.

— Pis toi ?

— Moi je m'ennuie d'elle.

— Ça paraît. Y a-tu quelque chose que je peux faire ?

— Ben, si tu m'en veux pas trop, peut-être.

Et on s'est mis à planifier. On avait le temps de prendre notre temps, c'était o-o depuis des heures, il ne se passait rien. On a pris le temps, donc. Planifier comme il faut, pour être certains que ça ne finisse pas encore en coups de poing sur ma mâchoire.

L'idée de base, niaiseuse bien sûr, c'est que je parle à Raphaëlle, pour la convaincre de revenir avec Darren. Pourquoi moi ? Aucune idée, ça nous semblait brillant sur le coup. Pour le choc que ça lui ferait, j'imagine, ou simplement parce qu'il n'y a que moi d'assez mongol pour me pitcher à pieds joints dans une situation pareille. Passer une soirée tranquille avec elle, la faire rire, et glisser tranquillement des bons mots sur Darren, pour la tordre un peu, pour l'affaiblir. D'abord lui faire avouer qu'elle s'ennuie un peu, qu'elle était bien avec lui, et ensuite l'embarquer totalement, lui faire croire que c'est une bonne idée qu'elle aille prendre une bière avec lui. C'est niaiseux, non?

— Ça marchera jamais.

— Je sais.

— On essaye-tu pareil?

— Oui.

— Comment on fait pour qu'elle vienne passer la soirée chez moi?

— Aucune idée.

Mars 2004

Le lundi 1ᵉʳ
Canadiens 2, Devils 1

Deux gars qui essaient de se prendre pour une fille. S'imaginer dans la peau d'une fille. Si on était Raphaëlle, qu'est-ce qu'il faudrait nous dire pour nous convaincre d'aller chez Matthieu... hum. Les niaiseries qu'on a inventées.

Un souper bénéfice pour des orphelins pauvres en chaise roulante avec des pneus crevés. Elle a un grand cœur, Raphaëlle, elle ne pourra pas résister. Une invitation à mes noces, en tête à tête, à la chandelle, sans fiancée. Une démonstration Tupperware faite par un danseur nu (pauvre et orphelin). Des chatons à donner, tout cute, et que je vais tuer de mes propres mains si je les refile pas à quelqu'un d'ici deux jours. Une soirée de distribution de milliers de dollars gagnés à la loto. Le lancement d'un livre dans lequel je raconte mon aventure avec elle. Toutes sortes de niaiseries comme ça.

Et puis à la fin, quand on était tannés, on a pris la niaiserie la moins pire, qui était une niaiserie quand même. Une niaiserie qui me tord le cœur, une idée de Darren, idée tout croche.

— Je le sais.

— Quoi ?

— Tu vas faire semblant de t'ennuyer de Julie.

— Moi, ça ?

— Oui, pis tu vas dire en braillant à Raphaëlle que t'as besoin de lui parler, parce que c'est elle qui connaît le mieux ta situation.

— Tu penses ?

— Oui, ça va marcher. Elle aime ça se prendre pour une thérapeute.

— Tu penses ?

— Oui, ça va marcher. Elle a un grand cœur.

— On serait pas mieux avec l'affaire des orphelins ?

Il était convaincu, j'ai dit O.K. Pis je lui ai demandé comment elle allait, Julie, et il a répondu que son idée était vraiment bonne, et que Raphaëlle embarquerait sûrement.

— Vas-tu être capable de faire semblant de t'ennuyer de Julie ? Pour que ça soit crédible ?

— Ça devrait pas être un problème.

Ça devrait pas être un problème.

Le mercredi 3 mars 2004
CANADIENS 3, SHARKS 4

Ça a marché. Ma voix tremblait, mes paroles avaient l'air vraies, c'est parce qu'elles étaient vraies, Raphaëlle n'a pas pu dire non, elle a dit oui.

— Oui.
— Quand est-ce que tu pourrais venir me voir ?
— Ce soir, mais tard.
— C'est correct, la *game* commence juste à 10 h 30.
— Contre qui on joue ?
— Contre les Sharks.
— Eux j'aime pas leurs chandails.

***

La première chose qu'elle a dite en entrant, avant « salut », avant « comment ça va », c'est « là, ça sent la coupe ». Je ne savais pas qu'elle aimait autant le hockey, mais elle avait raison. Là, ça sentait la coupe. À cause du sauveur.

Alexei Kovalev. Le sauveur. Celui qui va la mettre dedans. *Top corner*, en plus. Tout le temps, en plus. Et surtout dans les séries.

Messie beaucoup, m'sieur Gainey. Une belle acquisition, ça. Un joueur d'impact. Et contre le chaudron à Josef Balej, qu'on n'a pas vu jouer souvent, mais qui ne m'a jamais impressionné. Et un choix de deuxième ronde, c'est plus important, mais c'est correct.

Beau travail, Bob. Tu t'es faufilé dans la vente de garage des Rangers, t'as pris le petit trésor empoussiéré qui traînait dans un coin, t'as dit « combien pour c'te cochonnerie-là ? », pis t'as payé en souriant dans ta barbe (des séries). Et là, ça sent la coupe, la même coupe qu'en 93, la même coupe qu'en 86, la même que les milliers d'autres fois. Yé.

***

Le sauveur ne jouait pas ce soir. Une chance, parce que je ne sais pas si j'aurais tellement eu envie de vendre à Raphaëlle l'idée que Darren est bon pour elle si j'avais dû suivre les premiers coups de patins en flanelle de Kovalev.

Donc, j'ai pu me concentrer sur ma job. Mais c'était bizarre.

— C'est bizarre, tu trouves pas ?

— Qu'est-ce qui est bizarre ?

— Ben, se retrouver ici toi pis moi, sur mon sofa, à écouter une *game* de hockey...

— Tu m'as pas fait venir ici parce que t'avais envie de baiser, han ? Dis-moi que c'est pas pour ça.

— Nonon, c'est pas pour ça du tout. Inquiète-toi pas. Je disais juste que c'était bizarre.

— Moi je trouve pas ça bizarre.

Moi je trouvais ça bizarre. Un drôle de mélange de souvenirs, bons et moins, cools et moins. Un *trip* de cul agréable, la rupture, Julie, Darren, j'ai mal à la mâchoire, j'ai mal au cœur en y pensant, et en même temps j'ai un début d'érection.

—Comment ça va, toi, Raphaëlle ?

—Pas pire.

—Juste pas pire ?

—Ben… Ça va.

—Parles-tu à Darren, des fois ?

—De temps en temps. Mais j'ai l'impression que lui, il aime pas trop ça me parler…

—Comment ça ?

—Je sais pas, comme si y m'en voulait. Lui parles-tu, toi ?

—Pas beaucoup. Un peu.

—Est-ce qu'il te parle de moi.

—Un peu. Il l'avouera pas, mais il a l'air de s'ennuyer.

—De moi ?

—Oui, de toi. Pis toi ?

—Des fois oui. J'essaye de pas trop y penser.

—Pourquoi tu te retiens ? C'est correct de s'ennuyer, t'sais.

—Oui, je sais.

—Tu devrais lui dire.

—Que je m'ennuie ? Es-tu fou…

—Je suis sûr qu'il s'ennuie lui aussi.

Et comme ça, petit à petit, puis grand à grand, j'ai réussi à la convaincre que ça valait la peine d'essayer de lui parler plus, juste pour voir. Juste pour écouter. Écouter l'ennui et le besoin qu'ils ont d'être avec l'autre, écouter les respirations profondes et les racines de l'amour qui s'agrippent encore un peu. Faudra voir où ça mène, mais moi, j'ai fait ma job. Et au fil de la conversation, j'ai perdu mon début d'érection.

—T'étais pas supposé me parler de Julie, toi ?

—Oui.

—Es-tu sûr ?

—Non.

—Depuis le début, tu voulais me parler de Darren...

—Ça dépend.

—Ça dépend de quoi ?

—Ça dépend de si ça te fait chier...

—Non, c'est correct, ça fait du bien d'entendre parler de lui.

—Alors oui.

—Je m'en doutais, t'sais. Si t'avais voulu parler de Julie à quelqu'un, j'pense pas que je serais la première sur la liste... Avec tous les chums que t'as...

Le vendredi 5 mars 2004
CANADIENS 4, COYOTES 3

Le dévouement. Le dévouement, c'est Francis Bouillon qui se bat avec un monstre de 7 pieds 10. C'est un partisan qui se fait tatouer le CH sur la poitrine, ou directement sur le cœur, oui, directement sur le cœur. C'est un gars qui, chaque soir, affronte le trafic pour aller chercher sa blonde à son travail, juste pour lui faire plaisir, même si elle ne le remercie jamais. C'est une infirmière qui fait un double *shift* et qui garde le sourire, parce que les gens à qui elle sourit en ont besoin. Et c'est moi qui enregistre le match de ce soir parce que je ne peux pas le voir en direct.

Oui, bon, j'avoue. Je n'aurais pas enregistré n'importe quel match. Mais celui-là, c'était le premier de Kovalev, je ne pouvais quand même pas manquer ça.

Il s'est blessé à l'épaule en première période. A quitté le match en deuxième. Bof, ordinaire, non ? Par contre, Jim Dowd a compté en désavantage, et c'était son premier match avec nous lui aussi. Ça compense un peu. Pas beaucoup, mais un peu. Finalement, j'ai écouté le match au *fast-forward*. FF les annonces, FF les arrêts de jeu, FF les entractes. C'est pas long, un match comme ça. Vraiment pas long. Une victoire rapide pour nos Habs.

Ils devraient faire ça au baseball. Jouer en FF.

***

Le dévouement, c'est aussi moi qui passe une soirée avec la cause de mon malheur, pour le bonheur d'un ami qui m'a déjà cassé la gueule. N'empêche que ça a l'air d'avoir fonctionné. Quand je suis rentré, j'avais un message de Darren dans ma boîte vocale.

« Euh, oui, salut, euh. C'est Darren. Ben euh, merci, han. Je suis allé prendre une bière avec Raph hier, pis c'était vraiment cool. Faque merci. Euh. Merci beaucoup. »

C'est un long message, pour lui. D'habitude, il s'arrête à « euh, oui, salut, euh », et il raccroche.

***

Bon. Super-Matt a encore fait des miracles. C'est au tour de qui, là ? Ma sœur, disons.

Ma sœur. Tellement fière d'avoir eu raison, pour mon *trip* à trois. J'te l'avais dit, que c'était pas pour toi. J'te l'avais dit, j'te l'avais dit. Ben oui, ma p'tite salope. T'avais raison.

> —Là, ça sent-tu ?
> —De quoi tu parles, Nath ?
> —Ben, la coupe ?
> —Oui, ça sent.
> —Pis Garon, y est-tu meilleur que Théo ?
> —Je sais pas. Non.
> —Mais là y est bon, ce soir, non ?
> —Oui, y est bon là, mais ça veut rien dire.
> —Comment ça ?
> —Aye, t'es pas supposée pas aimer le hockey, toi ?
> —Pis Zednik ?
> —Quoi Zednik ?
> —Ben, deux buts une passe.

—Oui.

—C'est bon ça, non ?

—Oui, c'est bon.

—C'est pour ça que ça sent ?

—T'es ben fatigante, toi.

Elle avait l'air en forme, la Nath, l'air coquine, baveuse, ricaneuse. Souriante. Ça fait du bien, ça donne envie de lui présenter quelqu'un de bien. Et justement, je savais qui. Un gars calme, un gars brillant, pas vraiment un gars de la gang, on le voit très peu souvent, mais quand on le voit, c'est cool. Un bon gars, authentique bon gars. Et, je crois, un gars qui pourrait la traiter comme il faut, la changer un peu, lui apprendre à vivre en adulte, un peu. Un gars qui lui ferait du bien, qui la caresserait moralement, qui la désaloperait.

—J'ai un gars à te présenter.

—Cool !

—T'es disponible ?

—Oui, je me suis fait domper par un gars hier soir. Faque là, je suis libre. C'est qui ?

—Un ingénieur.

—C'est plate, ça, un ingénieur.

—Lui il est cool. Bon gars, bon pour toi.

—Ah ?

—Mais si tu veux que je te le présente, faut que tu lui donnes une chance sérieuse. Parce que lui, il est sérieux. Si tu veux juste te pogner un gars vite vite, je te le présenterai pas.

—Y est-tu beau ?

—Oui, y est beau. Il paraît.

—Cool. Présente-moi-le.

—Tu vas-tu être sérieuse ? T'es-tu prête à être sérieuse ?

—Oui oui. Comment il s'appelle ?

—Joé.

Le lundi 8 mars 2004
CANADIENS 5, MIGHTY DUCKS 2

Quand ça clique.

On est allés au Champs ce soir. Ma sœur n'avait pas un bon *feeling* pour une autre rencontre à mon appart. Au Champs, il n'y avait plus de place pour la *game* des Canadiens, *game* à 22 h 30, alors on s'est assis en face de l'écran géant qui présentait le match Avalanche-Canucks.

Il y avait Nathalie, il y avait Joé, et loin loin dans leur tête, il y avait moi. Et encore plus loin, le hockey. On aurait pu être devant un match de curling junior auquel une des deux équipes ne s'est pas présentée, ils ne s'en seraient pas rendu compte. Quand ça clique.

Nath a été séduite par la voix grave de Joé, et Joé a été séduit par les yeux noirs de ma sœur. Et c'était parti, si vite et si bien, ça m'a fait peur un bout de temps, et puis tiens, pourquoi je les laisserais pas tranquilles ? Alors j'ai regardé la *game*.

Meilleur *move* de l'année, regarder ce match Avalanche-Canucks. Si j'avais eu le droit de regarder une seule *game* pendant toute l'année, il aurait fallu que ça soit celle-là. C'est drôle, le hasard, des fois.

Un match émotif. Plein de ressentiment, d'intensité, de larmes refoulées, de blessures intérieures. Jamais vu un drame se bâtir aussi clairement, tellement prévisible, tellement intense. Quand Todd Bertuzzi a frappé vicieusement Steve Moore, personne dans le Champs n'a été surpris. Personne n'a même été outré. C'était la suite logique de la soirée, la suite de toutes les émotions qui avaient grandi depuis des semaines, et explosé avec la rondelle sur la glace à 22 h. Sur le coup, je me suis dit, sans savoir la gravité de la blessure de Moore, que Bertuzzi méritait huit matchs de suspension. Pas plus. En arrivant chez moi plus tard, j'ai vu qu'on parlait déjà un peu partout du coup le plus vicieux de l'histoire, de niaiseries comme ça. De suspension d'un an, de geste inacceptable. Et ce qui me dérange dans tout ça, c'est que, parmi tous les critiqueux qui vont donner leur opinion sur cette affaire dans les jours qui viennent, la grande majorité n'aura vu que la séquence du coup de Bertuzzi. Sans avoir vu le match. Sans savoir ce qui s'est vraiment passé. Sans avoir été spectateur du *build-up* incroyable.

Ceux qui ont vu le match au complet comprennent. Geste émotif, match émotif. Inévitable incident, déplorable, oui, mais pas si terrible. Demandez à n'importe qui qui était au Champs ce soir, il vous dira la même chose.

Sauf Nath et Joé. Eux vous diront «je sais pas, j'ai pas vu». Ils se regardaient dans le fond de la tête, par les trous d'yeux, même pendant les bagarres.

***

Au début, j'ai essayé de faire un peu de conversation.

—As-tu vu ça pour Zednik, Joé ?...

—Mmm ?

—C'est le joueur offensif de la semaine. Il est en feu.

—Bah, t'sais, moi, le hockey...

Nath m'a regardé, et je ne savais pas qu'elle pouvait sourire autant, avec ses yeux et tout le reste du visage, le sourire d'une fille au paradis.

Et je savais bien que, de là, je devais fermer ma gueule. Les laisser s'admirer en silence, garder pour moi mes pensées hockey-sur-glaciales, me parler en marmonnant.

—Pis j'en reviens pas du petit Ryder, bourré de talent. S'il avait le compas un peu moins à côté de l'œil, il aurait déjà 40 buts. Il est toujours bien placé. Mais il devrait lever la *puck* plus.

Et j'étais d'accord avec moi-même, et je continuais ma monoconversation.

—Pis les Capitals, ça non plus j'en reviens pas. Demain, c'est la date limite pour les échanges, et déjà ils ont donné les trois quarts de leur équipe. J'ai jamais vu une aussi grande vente de feu. Ils ont vendu plein de joueurs en feu. Lang, qui était premier compteur de la ligue. Konowalchuk plus tôt cette année. Jagr, Gonchar, Bondra, Carter. C'est fou, vraiment fou.

Et encore là, j'étais d'accord avec moi.

***

Ce soir, notre serveuse, c'était la conquête de Mike. Elle m'a reconnu tout de suite, c'est sûrement à cause de ma beauté.

—Salut Matthieu.

—Salut Carole.

—J'm'appelle Amy.

—Je sais.

Le jeudi 11 mars 2004
CANADIENS 2, PANTHERS 3

Comme prévu, ça fait deux jours que tout le monde parle juste de l'affaire Bertuzzi. Sans avoir vu le match. En se basant uniquement sur les reprises. Aucune perspective. Ce matin, on a appris que le gros Todd était suspendu pour le reste de la saison et les séries. Je ne suis pas d'accord. Une suspension pour apaiser le monde. Pas juste. Je ne suis pas d'accord.

Boooooouh.

Et puis tiens, tant qu'à huer, parlons de Brisebois. En prolongation ce soir, il a laissé aller Oli Jokinen, qui a compté. Ordinaire. Mais bon, faut pas non plus trop en mettre : Brisebois a une bonne saison. Fiable, pas trop d'erreurs, il passe plutôt inaperçu, ce qui n'est pas peu dire.

Mais pour la forme, parce que ça fait toujours du bien : boooooooouh.

***

Peut-être que je devrais me faire un mohawk sur la tête. Jokinen en avait un ce soir, et c'était pas pire.

Pourquoi j'aime tant le hockey ? Pourquoi je sacrifie, année après année, des soirées entières de mon hiver devant ma télé ? Pourquoi j'aime tant y croire, pourquoi j'aime tant gueuler vers mon écran comme si les gars m'entendaient ? Pourquoi j'aime tellement l'odeur de la coupe ?

Parce que une ou deux fois par année, pendant la saison régulière, il y a des matchs comme ce soir. Des matchs intenses, robustes, rapides, des matchs spectaculaires, qui nous rappellent pourquoi on aime tant ce sport de fou là. Du hockey des séries, qui nous rappelle que les séries s'en viennent, et qu'on a le droit d'y croire. Au séries, aux victoires en prolongation, à la coupe, pourquoi pas, l'équipe me fait penser à 93.

C'est pour ça que, soir après soir, je me colle devant mon écran de 51 pouces, et je deviens un enfant nono qui pense que tout ce qu'il y a dans la vie, c'est vingt gars en patins, avec des chandails rouges, qui poussent une rondelle, qui crachent partout, qui souffrent sans vraie raison. C'est pour ça que quand on est petits, on joue au hockey en y croyant, en se disant que peut-être un jour ce sera nous. Et que quand on est grand et qu'on réalise que ce n'est pas nous, sur la glace au Centre Bell, on regarde avec envie, et avec des yeux d'enfants, ceux qui sont devenus ce qu'on aurait aimé être.

Rivé devant mon grand écran, je regarde Koivu, Zednik et Perreault jouer comme s'ils étaient Gretzky, Kurri et Tikkanen, et j'oublie ma vie, pendant deux heures et demie, j'oublie que j'ai une vie.

C'est pour ça que j'aime tant le hockey.

Le mardi 16 mars 2004
CANADIENS 4, AVALANCHE 2

Quand on joue à Cupidon, on veut savoir si on sait viser. C'est un jeu, mais les sportifs de salon comme moi veulent gagner. Toujours gagner. *Bull's eye* ou 20 000 km trop à gauche, ou quelque part entre les deux, c'est drôle de jouer avec l'existence des autres, c'est drôle de vouloir tordre leur avenir. Pouvoir se vanter que c'est grâce à nous, Cupidon est un gros égoïste, j'en suis sûr.

J'ai donc appelé ma sœur pour l'inviter à souper, parce que je voulais savoir ce qu'elle pensait vraiment de Joé, si elle était intéressée pour du sérieux, si ça avait cliqué autant que ce que je pensais. Si j'avais *bull's eye*. Elle m'a répondu « J'peux-tu amener Joé ? » J'avais ma réponse. Et là, j'étais pris pour les voir se minoucher devant moi toute la soirée. Moi et mes invitations dans le vide. J'aurais pu lui demander au téléphone, mais non, il fallait que je l'invite, et qu'elle invite Joé par ricochet, on se croirait à *Ultimatum*.

—T'inviteras Yvan Ponton, aussi.

—Han ?

—Non, laisse faire, c'est une *joke*.

—Je la comprends pas.

—C'est pas grave.

Un souper avec un nouveau couple, nouveau nouveau, les yeux dans le beurre, c'est certain. Et un couple qui n'aime pas le hockey, le soir d'un match contre l'Avalanche. Pouah. Des fois, je ne m'aime pas. Mais c'est normal, parce que j'imagine que l'arc est trop grand pour le revirer contre soi.

J'ai fait de la lasagne.

Ils ont mangé en silence, ou presque, l'air heureux mais silencieux, j'ai mis le hockey en *background*, Nick Cave en avant-plan, de temps en temps je voyais ma sœur bouger un peu la tête en suivant le rythme tranquille, des fois je voyais Joé regarder ma sœur et sourire invisiblement.

Les sourires les plus vrais sont ceux qu'on ne voit pas.

Leur histoire a l'air vraie, une histoire vieille de huit jours, ce n'est rien, mais je voyais déjà, ce soir. Le vrai, le profond, la durée, le temps qui va se dérouler autour d'eux sans le moindre remords. C'était bien, de voir comme ça. Je t'aime, Nath, ça me fait peur de te voir comme ça, mais c'était bien. Le silence qui me parlait bien plus que tout ce que tu aurais pu me dire. C'était lourd, mais lourd pour moi seulement. Pour toi, c'était le paradis, les fractions de seconde à savourer, ralentir le temps pour en profiter, c'est nouveau. C'est calme, le calme. C'est beau, la beauté.

Lourd pour moi, voir deux amours s'aimer, lourd pour moi qui aime dire des niaiseries, penser des niaiseries aussi. Quand Nick Cave s'est mis à chanter *And No More Shall We Part*, c'était trop. Je devais dire une niaiserie, n'importe laquelle.

—Pis, mon Joé, elle est pas trop salope, ma sœur ?

J'avais brisé leur moment. Pour m'en créer un à moi, m'alléger, pour changer l'air un peu trop intense de mon chez-moi un peu trop vide. Nath m'a regardé tendrement, quasiment par pitié, en voyant que c'était le désespoir qui m'avait fait parler, mais, au fond de son regard, il y avait quand même un peu de méchanceté. Joé a remis sa fourchette pleine dans son assiette, a redressé le dos un peu, a fait non de la tête, un non de dépit.

—Tu devrais pas parler de ta sœur comme ça. Je sais pas si tu te rends compte à quel point c'est une bonne personne.

Oui, Joé, je m'en rends compte. Ce qui est fascinant, c'est que tu es la seule autre personne à le voir. C'était dur à entendre, mais ça a fait du bien.

—T'as raison, Joé. Je m'excuse, Nath.

Nath et moi, en un clin du coin de l'œil, on s'est échangé le demi-regard que seuls des frères et sœur peuvent s'échanger. Le regard qui dit « t'as trouvé le bon », le regard qui dit « j'ai trouvé le bon ».

J'avais bull's eyé. Plus que je n'aurais cru possible, au point de pouvoir en être sûr en une soirée, alors que ça ne faisait que quelques jours qu'ils étaient ensemble. Je savais, c'est un sentiment magique, savoir.

—Je suis vraiment content pour vous.

—Pourquoi ?

—Pour vous. Pour ce que vous avez.

—Qu'est-ce qu'on a ?

—Rien. Ben, tout. J'me comprends. Je suis content. Les sourires invisibles...

—T'es ben bizarre, toi. Va écouter ton hockey, là. Nous, on va faire la vaisselle.

—O.K.

Et c'est comme ça que j'ai vécu le dernier Méchant Mardi Molson Ex de l'année. Avec plein de vide, mais aussi avec plein de plein. En me sentant tellement heureux d'avoir été bon pour ma p'tite Nath, de la voir heureuse, mais en me sentant tellement malheureux de voir que c'est possible d'avoir ce que je n'ai pas.

Le vendredi 19 mars 2004
CANADIENS 1, DEVILS 1

Tout va bien dans ma télévision, par contre.

Dans les 13 derniers matchs, 10-1-1-1. Depuis qu'ils ont inventé le maudit point quand tu perds en prolongation, ça fait des fiches interminables. Quand ils vont rajouter des demi-points si le but gagnant est compté en avantage numérique, et des tiers de point quand l'équipe perdante joue à domicile avec des chandails de l'époque, et des quarts de point quand l'équipe gagnante prend l'avion tout de suite après la *game* pour se rendre en Californie, ça va faire des fiches très très cool. Dans cinq ans, les Canadiens vont être 41-14-7-4-11-2-3 à la fin de la saison. Ils vont devoir changer le format du Cahier des sports.

Donc, je disais : tout va bien dans ma télévision. Les Habs gagnent tout le temps, Souray revenait au jeu ce soir, on annule contre les puissants Devils même avec Garon dans les buts, il nous manque juste trois points pour être assurés de faire les séries, ça sent vous savez quoi, sortons le champagne, et pas du *cheap*. Du vrai avec un bouchon qui ne dévisse pas.

Ça réchauffe un peu l'intérieur, de regarder la télé et de m'y abandonner. Quand ça va bien dans la télé, ça va mieux dans moi.

Et ça a cogné à la porte. C'était Nath, pressée, haletante, énervée, qui n'enlève pas ses bottes.

—Je t'aime, mon grand frère. Je te remercierai jamais assez.

Et elle est partie, sans rien de plus que ses lèvres sur ma joue, et puis pouf. Pas le temps de répondre, ni de la parole ni des lèvres. Nath en un éclair.

Y'a pas de quoi, p'tite sœur.

Le samedi 20 mars 2004
CANADIENS 3, DEVILS 2

Mike est venu chez moi pour me montrer Amy. Littéralement, me la montrer. Il ne l'a pas laissée parler de la soirée,
il voulait juste que je voie qu'il pognait, qu'elle l'aimait,
qu'il était heureux. Amy le bibelot qui valorise le Mike.

Tout ce qu'il te faut pour être bien, mon Mike, je te le
souhaite de tout cœur. Si c'est parader avec une Amy qui
a l'air d'une Carole, pas de troube, oui oui, pas de troube.
Mike qui ne regarde pas par terre, Mike qui a oublié qu'un
jour, il n'y a pas si longtemps, c'est sur ma sœur qu'il
trippait. Mike qui s'aime, parce que d'autres l'aiment.

— J'suis heureux, Matthieu.

— Je vois ça.

— Ça paraît, han ?

— Oui, ça paraît. Pis toi, Amy, es-tu heureuse ?

— Oui, elle est ben heureuse avec moi. On
est heureux.

Amy, char allégorique. (En plus petit.)

Ce soir, on a assisté à un moment historique : le premier but de Kovalev avec les Canadiens. Oui, bon, c'était à son cinquième match, et dans un filet désert, mais quand même. Quand même. Non ?

Oui, je sais, tout un sauveur...

***

Il y a des mots qu'on utilise tellement qu'ils ne veulent plus rien dire : l'amour, la vie, le bonheur. Ce genre de mots atrocement ordinaires, qui ne veulent plus rien dire, sauf quand c'est nous qui les disons. Je vous les sors depuis le début de l'année, ces mots laids. Ce soir, Mike me les a tous chuchotés, quand Amy était en train de se refaire une beauté devant mon miroir sale.

— Je suis en amour.

— C'est cool.

— Je suis vraiment heureux, t'as pas idée.

— C'est cool.

— J'pense que c'est la fille de ma vie.

— C'est cool.

— Merci, Matt. Je te dois beaucoup, Matt.

— Ben non.

— Ben oui.

Les mots laids à entendre, si beaux à dire.

***

Et il y a des mots qui font mal, peu importe le nombre de fois qu'on les utilise : la jalousie, la solitude, la douleur.

La douleur, ça fait mal.

Le mercredi 24 mars 2004
CANADIENS 1, SABRES 2

Il nous manque un maigre petit minuscule point pour faire les séries officiellement. Mais c'est pas ce soir qu'on l'a eu. Ben quoi, faut ben en perdre une de temps en temps.

Et ça tombe bien, je l'ai pas trop suivie, celle-là. J'étais déconcentré. Il y avait en gros devant l'écran, pendant des heures, le corps souriant de Patrice, et sa voix cruellement puissante, quoique fausse. Oui oui, Patrice en personne, dont je n'avais pas eu de nouvelles depuis toujours, monsieur beau bonhomme top modèle, monsieur popularité-à-venir.

Il a débarqué chez moi comme un clown avec un télégramme chanté, et c'était presque ça. Le sourire fendu jusqu'aux sourcils (sourire en rond), il chantait presque, ou peut-être qu'il chantait pour vrai, mais trop mal. Le bonheur, encore un mot laid, mais c'était le bonheur qui éclaboussait de partout, en petits sauts, en cris, en gestes brusques, il a cassé une bouteille de scotch vide qui traînait.

***

Et il me brassait violemment, en me tenant par les épaules, comme pour me réveiller, en criant « Te rends-tu compte, te rends-tu compte ! » avec des points d'exclamation.

Patrice s'est fait offrir son premier contrat de mannequin. Mannequin, un bien grand mot. Il va être un gars qui tient une boîte de céréales sur des affiches qui annoncent des boîtes de céréales.

Mais bon, pour lui c'est la fin du monde. Il va être sur des affiches. Dans la rue, exactement là où il veut que les gens le reconnaissent.

— *Good*. Peux-tu te tasser de devant la télé, là ?

— Te rends-tu compte, te rends-tu compte !

Le jeudi 25 mars 2004
CANADIENS 0, SÉNATEURS 4

Faut ben en perdre une autre de temps en temps.

C'est comme si le temps s'était arrêté chez moi, depuis hier. Ce soir, c'était pareil qu'hier. Patrice devant l'écran, qui saute et qui crie, qui n'en revient pas et qui n'arrête pas de ne pas en revenir.

Plus le temps s'arrête, plus il découvre des nouveaux avantages.

— Ah pis t'sais, j'y avais pas pensé, mais là je vais avoir des groupies. Des filles qui vont vouloir baiser avec moi juste parce que je suis connu…

— Oui, pis tu devrais pratiquer ton autographe, pour être prêt quand le monde va t'en demander.

— T'as raison. J'y avais pas pensé, à ça non plus. As-tu un crayon ?

Il y croit, il se croit, il croit à tout. C'est un crédule qui exulte.

— Bon, là tasse-toi, y a un tir de pénalité.

—À qui ?

—Bondra.

—On joue contre les Caps ?

—Non, les Sénateurs. Ils ont Bondra, maintenant.

—Ah ben.

Bondra n'a pas compté. Mais ça n'a pas changé grand-chose, 4-0, c'est pas terrible. Et Patrice qui s'en câlisse...

—Bon, j'peux-tu continuer à te parler, là ?

—Oui oui.

—Faque là, est-ce que je devrais me trouver un nom d'artiste ?

—Pourquoi ?

—Ben, pour faire vedette.

—Juste Patrice. Pas de nom de famille.

—Ah c'est cool, ça. Je sais pas ce que je ferais sans toi...

Encore plus dur. Tu ferais encore plus dur. Je ne l'ai pas dit, y ai pensé longtemps, par contre. Le pire, c'est qu'il est tellement dans son monde qu'il ne retombera pas sur terre. Pas besoin. Le jour où une fille va lui sourire dans le vide, sans raison, même pas parce qu'elle l'a reconnu, il va se monter une grosse histoire sur elle. Et ça va être parti. La célébrité, les groupies, tout ça, qu'il s'invente, et ça le rend heureux.

Qu'est-ce que vous voulez dire à quelqu'un comme ça ? Rien à dire, rien à faire. Juste sourire et admirer, la naïveté, l'enfance éternelle. Le bonheur, maudit mot, le bonheur des autres qui fait le malheur des uns.

C'est qui les uns ?

Le samedi 27 mars 2004
CANADIENS 2, BRUINS 3

Les analogies entre le hockey et la vie sont tellement bof. J'en fais tout le temps, j'en fais plein, je sais. Encore ce soir, je ne pourrai pas m'en empêcher. L'ironie de la défaite, ce genre de choses-là. On dirait que les chaudrons qui jouent pour les Canadiens sont le miroir de mon existence, mon quotidien dans les quotidiens, mes soirées en réverbération sur ma télé, l'écran plat de ma vie plate.

Je me comprends.

Ce soir, j'ai laissé faire la bière, j'ai bu du scotch. Pour oublier un peu, pour me sentir *tough*, pour me sentir vrai. La bière, c'est un peu moumoune quand ça ne va pas trop bien, le scotch, ça brasse l'intérieur.

L'analogie de ce soir, donc : le bonheur mitigé. Faire semblant d'être heureux, mais être en crisse.

Tout allait bien pour les joueurs en flanellette au début du match. Tir de pénalité accordé à Jason Ward avec 26 secondes de jouées, et il a marqué. Puis, pouf, défaite en prolongation. Donc, c'est une défaite. Donc, c'est poche, plate, décevant, vraiment pas de quoi célébrer. Mais aussi, parce que c'est une défaite en prolongation, un point au classement, le point qu'il fallait pour s'assurer une place en séries. Alors quoi ? Faut être content ? Oui, je pense qu'ils pensent qu'il faut être content, ou satisfait, ou les deux. Bonheur mitigé, donc. L'impression qu'on devrait être content d'avoir perdu. Bouh.

Et la réverbération du match dans mon salon :

Insolente, inconsciente, Andréanne s'est pointée dans mon salon, l'instant d'un instant, pour me faire un beau sourire plein de dents. Miss Hawaiian Trip à Trois en personne, qui semblait avoir oublié que, dans ma tête, il y a un cerveau, et que dans ce cerveau, il y a plein d'angoisse et d'insécurité. Andréanne et son sourire, Andréanne qui venait me dire que j'étais chouette de lui avoir présenté José, l'amour de sa vie, et merci beaucoup pour tout, t'es un ange, mon Matthieu. Ah ben. Je suis chouette, c'est agréable à l'oreille, ça.

Et puis bon, elle est partie, toute légère, sans enlever le clou qu'elle m'avait planté dans le crâne. Parce que moi, je l'avais presque oubliée, elle, mais je ne suis pas si fort que ça. La voir sous mon nez, l'avoir sous mon nez en fait, toute effervescente, ça rappelle des souvenirs à un faible comme moi. Des souvenirs de cul, de fun, des moments simples et pas marquants, mais marquants quand même.

Alors ça m'a mis à terre de la voir, de la voir heureuse surtout. Sauf que je suis un bon gars, vous le savez, alors, quelque part au fond de moi, j'avais l'impression qu'il fallait que je sois content pour elle. Bonheur mitigé, donc. La défaite, source de contentement. Je suis bon pour les autres. Ils me remercient. Tous. Tout le temps.

***

Leur vie est belle, ils me remercient tous. Qu'est-ce qu'ils ont tous à me remercier ? Qu'est-ce qu'ils ont tous à avoir une belle vie ?

Le mercredi 31 mars 2004
CANADIENS 1, ISLANDERS 5

Les Glorieux sont tout mous. Tout poches. Ils ont perdu leur *boost*, eux qui jouaient si bien il y a quelques semaines à peine. C'est inquiétant, ça m'inquiète. Parce que, au hockey (comme dans la vie), tout est une question de *momentum* et de confiance. Et là, ils n'ont ni *momentum* ni confiance. Ni même Momesso, mais ça c'est une autre histoire.

Ils font presque pitié, je ne sais plus quoi penser. Qu'est-ce que je peux faire pour vous aider, les gars ? Claude ? Si je fais la vague tout seul dans mon salon, ça vous aide ?

1, 2, 3, *go*. C'est plate, la vague tout seul. Ça n'éclabousse pas beaucoup.

J'ai appelé tout le monde, la gang, un après l'autre, pour qu'ils fassent la vague avec moi. Ils ont tous répondu « de quoi tu parles ? », et j'ai changé de sujet. Je les ai invités à mon classique *party* de fin de saison.

Chaque année, depuis des années, ça se passe chez moi. Au début, c'était pendant les séries, mais depuis que les Canadiens ne font plus les séries qu'une fois par dix mille ans, on fait ça au dernier match de la saison régulière. Tout le monde chez nous, bien tassés, c'est beaucoup trop petit, mais ça fait chaleureux. Et tout le monde vient, et c'est drôle, et il fait chaud, et, à la fin de la soirée, tout le monde est chaud et il y a des traces de doigts sur mon écran de télé, et au moins un verre brisé.

Chaque année, depuis des années, c'est notre façon de se dire ouf, c'est bientôt terminé, qu'est-ce qu'on va faire cet été, quand y aura plus de hockey ? On fait des rimes, comme ça, sans s'en rendre compte.

C'est notre façon de rendre hommage à mon chez-moi, à mon écran 51 pouces, dont tout le monde a profité à un moment ou à un autre, à mon appart qui a été témoin, comme toujours, des déboires et des boires de la gang.

Cette année encore, tout le monde va venir. Toute la gang, accompagnée en plus. J'ai même demandé à Darren d'inviter Julie, on ne sait jamais. Ça serait bizarre, mais je ne m'y attends pas, parce que si elle ne m'a pas donné de nouvelles depuis notre rupture, je ne vois pas pourquoi ça changerait, et surtout pas devant tout le monde. C'est pas grave, parce que ces soirées-là, avec toute la gang, c'est un peu toute ma vie, comme une grosse annonce de bière, tes amis, ta musique, ta bière. C'est mon moment trippant, juste regarder tout le monde avoir du fun chez moi, avec moi, en l'honneur de l'année pendant laquelle on n'a pas toujours eu du fun.

Et au *party*, on parie. Sur les séries, toutes les séries, on fait un genre de *pool*, pour montrer qu'au bout du compte, on ne connaît rien là-dedans. Au cours des cinq dernières années, ma sœur a gagné trois fois. Elle qui pense que les Panthers jouent en Caroline.

— C'est au football, ça, Nath.

— Ils jouent où, d'abord, les Panthers ?

— En Floride.

— C'est pas les Dolphins, ça ?

Cette année encore, tout le monde va être là, et tout le monde va être heureux. Ça va être bien. Mais là, faut que je fasse du ménage. Ça c'est moins bien.

Avril 2004

Le jeudi 1ᵉʳ
Canadiens 0, Flyers 2

Un jour, quand j'étais petit, on a fait une visite à l'aquarium, un 1ᵉʳ avril, et j'ai trippé sur les pingouins (l'animal, pas l'équipe). Je sais pas pourquoi je vous dis ça. Ça m'a fait penser à ça. C'est pas important.

***

Hum. Encore une situation analogique. Cette fois-ci, l'analogie est simple : apprécier l'effort malgré le résultat.

Après la *game* de ce soir, Claude Julien s'est dit content de l'effort des gars, un meilleur effort qu'au cours des derniers matchs. Et pourtant, défaite, pas de but, et autres calamités. Quatre buts au cours des cinq derniers matchs, ça va être dur de boire dans la coupe avec aussi peu de rondelles dans le filet adverse. On a beau miser sur les performances de Théo, une victoire de 0 à –1, ça se peut pas. Alors, les ti-gars, *wake up*. Crissez-la dedans un peu plus, là. L'effort, c'est pas suffisant.

Et la projection de tout ça dans ma vie à moi, en cette soirée de préparatifs de *party* : j'ai fait le ménage du siècle, tout *shine* comme un dix sous qui *shine*, j'ai frotté, récuré, époussiéré, décerné, aspiré, ordonné. C'est la propreté éblouissante, on jurerait que j'ai un gros chauve musclé comme coloc. Pour moi, une journée comme ça, c'est un effort surhumain. L'effort du fort, l'accomplissement du héros de la guenille. Mais.

Mais quand je regarde tout ça qui *shine*, c'est bizarre, ça me fait constater que, coudon, c'est pas super beau chez moi. Ben, ben ordinaire. Pas décoré, pas des belles couleurs, un mobilier tout dépareillé, le sofa s'effrite un peu, la télé détonne, la table de la cuisine est en vitre, le reste est en bois, et des fois c'est du bois beige, d'autres fois c'est du bois brun. Et la fissure dans le mur. Le plancher usé. Un grand mur blanc jaune qu'il faudrait repeinturer. Un clou qui dépasse. Et des rideaux, et des stores, un peu n'importe comment. C'est ça, c'est arrangé un peu n'importe comment.

Quand on passe sa vie dans un endroit comme ça, sans le soigner trop trop, bien vite on ne remarque plus rien. Sauf quand on passe des heures à tout arranger. Et qu'au bout du compte, quand on lève les yeux, on se demande pourquoi on a fait tout ça, parce que les choses ne sont pas vraiment plus belles.

Comme une équipe qui fournit un bel effort et qui perd 2-0 contre les Flyers. Et voilà. Analogique.

Le samedi 3 avril 2004
CANADIENS 6, SABRES 3

Ils sont tous là. Je l'avais dit. Pas un qui manquerait ça, sauf Julie. Mais ça aussi je l'avais dit.

On se pile un peu sur les pieds, mais pas tant que ça, parce que c'est plein de nouveaux couples, et un nouveau couple, ça prend moins de place. Un par-dessus l'autre. Et l'autre par-dessus l'un.

La vie est belle dans mon appart ce soir, avec tout ce monde, ces sourires souriants, ces paroles douces, vers moi, vers eux, toutes ces paroles douces. La *game*, on s'en fout un peu, on boit, on rit, on jase, on crie.

On casse un verre.

Dans le coin, en arrière de la télé, il y a Nath, ma petite sœur adorée, et son Joé, et ils se collent. Ma sœur me fait un clin d'œil, de loin, de loin loin loin dans sa bulle, son petit monde heureux.

Écrasés sur le sofa, Richard et son Émilie, et je n'ai jamais vu Richard ne regarder qu'une seule fille.

Pourtant, ce soir, c'est ce qu'il fait. Il me fait un *thumb up*, comme si j'étais un bon film. Je vais me contenter d'être un bon chum.

Debout dans la cuisine, Patrice est en train de montrer son portfolio à Mike et à Amy, qui s'en foutent profondément. Il leur parle de son contrat, il leur parle de céréales, comme la vedette qu'il croit être. Et Mike, de loin, me sourit de ses dents blanches et colle sa fausse Carole, son Amy.

Et puis dans le vide, nulle part et partout en même temps, une vision qui me plaît, Darren et Raphaëlle, presque ensemble, probablement ensemble, prudents mais amoureux, ça paraît, ça transpire. Raphaëlle me fait un petit signe de la tête, imperceptible mais pas tant que ça, comme pour me remercier d'avoir poussé leur destin.

Proche de la porte, prêts à partir si je me sens mal, José est là, et derrière lui, Andréanne, qui voudrait tellement entrer et faire le show, mais José la retient, il sait que ce n'est pas une bonne idée, avec moi, avec Richard, terrain dangereux. José est un bon gars, il ne mettrait pas d'huile nulle part. Ils sont discrets, je l'apprécie, ils ont l'air bien, je l'apprécie moins, et quelques bières plus tard je m'en crisse. Je t'aime José, tu fais ben ce que tu veux. Si t'es content, je suis content.

La scène est belle, chaude et humaine, bourrée de monde, bourrée d'émotions, c'est beau. C'est chez moi, avec tout cet amour, tous ces bonheurs sur pieds, c'est peut-être l'alcool qui me fait les aimer tous, une grande famille. Et une année de blabla, de pleurs et de rires qui se termine.

Moi, je me promène. Seul mais entouré. Seul avec plein de monde.

***

Dans le fond, on s'en fout que ça soit propre ou pas chez moi. C'est pas ça qui fait que c'est beau, chez moi. C'est le monde.

Et ce soir, c'est beau en crisse chez moi.

Les séries

Les séries, c'est une autre saison. Ils le disent tous, à la télé. Une autre saison. Pour moi c'est pareil. Autre chose, l'envie de vivre différemment, l'envie de vivre les séries séparément. Comme une longue réflexion solitaire, parce que, au cours des derniers jours, j'ai compris plein de choses, en repensant à l'année qui vient de se passer.

L'envie de vivre les séries séparément.

À lire séparément, donc.

Le mercredi 7 avril 2004 – Match 1
CANADIENS 0, BRUINS 3

La solitude, c'est tellement lourd quand on est entouré de monde.

***

Bienvenue dans ma tête.

Cette année, les séries, elles vont se passer dans ma tête. Seul avec ma tête, seul tout court.

Parce que j'ai passé l'année entouré, parce que c'est lourd. J'ai besoin d'être seul, parce que j'ai besoin d'être seul.

Ce sont des matchs trop importants pour qu'on me dérange, je veux me concentrer. Sur le hockey, sur mes pensées, sur mon bonheur à moi, mon malheur aussi. Je me suis senti seul toute l'année, même s'il y avait tout le temps quelqu'un à mes côtés. Je me sens seul depuis le début de l'année, il est temps que je le sois pour vrai.

Le temps de faire le point, le temps de penser à moi, le temps d'apprécier la solitude pour ce qu'elle est.

La solitude, c'est tellement lourd quand on est entouré de monde.

Le vendredi 9 avril 2004 – Match 2
Canadiens 1, Bruins 2

Maintenant que je respire, maintenant que j'ai tout l'air de l'appart pour moi, pour vrai, je comprends un peu plus les réalités de ma réalité. Mon année de père Thereso. Je ne suis pas juste un roulement à billes. Je suis une ligne Malheur-Écoute.

J'ai passé l'année à écouter les gars, les filles, ma sœur, tout le monde, à les conseiller, à les aider, à les endurer. Et pas une fois, pas une fois ils ne m'ont demandé comment j'allais, moi. Si j'étais heureux. Si j'avais besoin de leur aide, de leurs conseils. Si quoi que ce soit.

C'est ça, la solitude plate. La solitude en plein cœur du groupe, la solitude au milieu de la foule.

***

Mais là ça va bien. Je suis seul par choix. Le téléphone a sonné tantôt, je n'ai pas répondu. Et je ne prendrai pas mes messages avant que les Canadiens aient gagné la coupe. Comme c'est parti, je pourrais attendre longtemps.

Deux défaites pourries, pas capable de marquer, pas capable de faire des passes sur la palette. Youhou? C'est les *play-offs*, les gars. C'est pas le temps de jouer aux ballerines. Petits coups de patin de fantaisie, pas trop fort dans les coins, pas trop fort autour du filet. Pour compter un seul petit but, on a besoin d'un double avantage numérique. Il va falloir vous relever un peu, les gars, il va falloir y mettre du vôtre, les gars.

Moi j'y mets plein de mien, tout plein, vraiment, je regarde avec plein d'attention, je ne vais même pas pisser pendant les annonces, pour ne pas manquer la mise au jeu. Rendez-le-moi.

Et puis Théo. C'est ça, notre superstar qui va mener la parade sur Sainte-Catherine? Depuis quand il y a une parade pour les gardiens qui se laissent passer des p'tits buts de jambon en prolongation? Je m'emporte, je sais. C'est pas la fin du monde, les gars. Un petit effort, et ça se remonte très bien, ça. *Go go go*, comme dirait Yvan Ponton dans le générique du début de *Lance et Compte*.

Et puis dormez bien. Je suis fatigué.

***

Une prédiction: dimanche, on va gagner ça 4-1.

Le dimanche 11 avril 2004 – Match 3
Canadiens 3, Bruins 2

On a gagné 3-2. Exactement comme j'avais dit.

Le sauveur a décidé de sauver un peu. Et si Kovalev se met à jouer, tout est permis. Même de regarder la *game* tout nu avec un sac de chips. (C'est ça que j'ai fait.)

Je vais de plus en plus mieux. Je vais de plus serein en plus serein. Oui, bon, je m'ennuie un peu, mais pas des gens. Je m'ennuie de ma vie simple, je m'ennuie des moments où je ne réfléchissais pas, dans les bras de Julie à dire des niaiseries, dans les bras de Julie à admirer le temps qui passe. Je m'ennuie de ma vie à deux, je m'ennuie de Ju, un peu. Mais tout ce temps que je prends pour me recueillir, tout ce temps à apprécier mon petit moi, il fait du bien.

Ça me prenait ce temps pour m'ennuyer, justement, ce temps pour vivre. Cet après-midi, je suis allé à la quincaillerie, et j'ai acheté du stuff-à-boucher-lesfissures. Et au premier entracte, j'ai bouché du mieux que j'ai pu la craque dans le mur, tout croche. C'est vraiment laid, mais il n'y a plus de craque. Les pensées qui passaient par là ne glisseront plus jusqu'à moi. Je sens déjà le mieux que ça crée. L'air qui tourne sans tache, l'air qui circule.

L'ennui, c'est bien. La peine, c'est mal. C'est la fissure de la peine que j'ai bouchée, et l'ennui vient de la fenêtre entrouverte. Vous comprenez.

Le mardi 13 avril 2004 – Match 4
CANADIENS 3, BRUINS 4

Il restait trois minutes à faire en deuxième période quand ça a cogné à la porte. Je n'ai pas bougé. J'ai baissé le son et je n'ai pas bougé. Ça a cogné, puis recogné, et rerecogné. Puis rien.

J'ai remonté le son et je n'ai pas plus bougé.

J'ai presque des plaies de sofa. Pas bougé pendant tout le match, qui s'est rendu en deuxième prolongation. Mais ça, vous le savez. Et vous savez que Kovalev jouait un match incroyable jusqu'à ce qu'il fasse la niaiserie des niaiseries, en laissant faire la rondelle alors qu'il venait de se faire cingler, et en rentrant dans Souray en plus. Murray a pris la *puck*, l'a mise dans le *net*. Vous le savez. Poche. Juste avant ce jeu-là, je me disais que ce Kovalev était un joueur tellement dominant, et que, quand il voulait, il pouvait être le meilleur joueur de hockey au monde. Là je ne suis plus trop sûr.

Et pour être bien honnête, ça ne sent plus vraiment la coupe, là. En fait, ça sent tout, sauf la coupe.

***

Un peu la vaisselle qui traîne dans l'évier. Un peu le sac de déchets qui traîne dans le fond de l'appart. Un peu l'essence, aucune idée pourquoi. Et un peu le golf. Mais pas la coupe.

Introspection.

Ce que je suis.

Un homme qui aimerait rester un gars. Le gars dont on parle quand on parle du bon gars. Un homme qui vieillit sans s'en rendre compte, sur qui on compte jour après jour, de plus en plus, avec l'âge, avec la sagesse, la mollesse peut-être. Incapable de dire non, incapable de dire oui. Peut-être, ou je sais pas, mais jamais non, et jamais oui. Pas plus habile avec lui-même qu'avec les autres, qu'avec les filles surtout. Un ennuyeux qui aime s'ennuyer, un angoissé qui aime souffrir. Mais pas trop. Je ne sais pas ce que je suis. Je suis fatigué.

***

Ce que j'aime.

Les filles, assurément. C'est la première chose qui me vient en tête. Chose, oui, bof. Les filles, le hockey, les chars. La moto quand il fait chaud avec un vent frais. Le tennis quand mon épaule ne me fait pas trop souffrir. La musique quand vient le temps d'écrire. Écrire quand vient le temps d'écouter de la musique. Écrire tout court. Ce journal. J'aime ce journal.

***

Ce dont j'ai besoin.

Un peu plus de tout. Plus d'amour, plus de haine. Plus de montagnes russes, plus d'aventures qui font tourner la tête, plus de souffrances qui tordent la poitrine. Plus de victoires, plus de défaites, moins de nulles. Plus de baisers, plus de sexe, plus de caresses, plus d'affection. Plus de mots dans ma tête, plus de phrases sur mon écran. Plus de musique, tout Tom Waits, tout Nick Cave, tout Lou Reed. Plus de chars, plus de filles. Plus de sourires, ceux qui font craquer, les sourires irrésistibles, les sourires comme la douceur, les sourires comme des mains qui enveloppent tendrement. Plus de sourires. Plus de matchs comme celui de ce soir.

***

C'est pas fini. Pas encore. Bientôt ou pas. C'est ce que j'aime du hockey : on sait pas. *Go* Habs *go*.

Le samedi 17 avril 2004 – Match 6
Canadiens 5, Bruins 2

Eh ben. C'est quand ça sent le moins que ça sent le plus. Pouf, comme ça, on y croit. C'est bien nous, ça. On abandonne quand ça va mal, on trippe quand ça va bien, et on dit « j'te l'avais dit ».

À qui je dis ça, moi ? Je sais pas. Au coussin du milieu. À mes bouteilles vides. À mon lit, que je vais rejoindre dans quelques secondes, lit vide et grand, mais grand c'est cool. Je peux dormir de travers, je peux me retourner vite et violemment, sans avoir peur de réveiller qui que ce soit.

J'ai trop bu, je pensais que ça me ferait du bien. Mais non, bien sûr. Je me sens seul encore plus, vide encore plus. Personne à qui dire « j'te l'avais dit ».

Il fait froid ici, même s'il fait chaud.

Le lundi 19 avril 2004 – Match 7
CANADIENS 2, BRUINS 0

C'est pour ça. Juste pour ça.

Je me posais la question plus tôt cette année : pourquoi je passe ma vie à écouter le hockey ? C'est pour ça.

Un septième match. Quand il n'y a plus rien à perdre, quand ils n'ont d'autre choix que de tout donner ce qu'il reste dans leurs corps, dans leurs têtes. Quand ça vibre à l'intérieur de ma poitrine dès que la rondelle touche le centre de la glace au début du match.

Un septième match. La dernière chance.

Je n'ai pas pu m'empêcher d'être analogique, encore ce soir. L'analogie de la dernière chance. J'ai écrit un *email* à Julie, un petit *email* innocent, quelques mots, « je pensais à toi, j'espère que tu vas bien, écris-moi si t'as le goût », quelques mots comme ça, une dernière chance.

Quand Zednik a compté au milieu de la troisième, j'étais content en double. Content qu'il compte, mais content aussi pour l'analogie.

Pour la première fois de leur histoire, les Canadiens gagnaient une série après avoir tiré de l'arrière 3-1.

Kovalev est incroyable.

Ils ont gagné. J'ai sauté partout en criant.

Tout est permis pour la suite.

Ça sent la coupe.

Il ne manque qu'une réponse de Julie.

C'est le paradis moins 1.

Ils ont l'air de rien, le Lightning. Mais c'est une illusion. L'illusion de l'équipe historiquement poche, qu'on va écrapoutiller sans problème. Mais bof. Ce n'est pas ce soir que ça commence, l'écrapoutillage.

Ça ne veut rien dire, remarquez. Il reste plein de matchs, encore, et ce n'est pas une équipe de Floride incapable de remplir ses estrades en séries qui va nous éliminer. Je vous le promets.

Donc, ça ne veut rien dire.

Tout comme le fait que Julie ne m'ait pas répondu. Ça ne veut rien dire.

Le dimanche 25 avril 2004 – Match 2
CANADIENS 1, LIGHTNING 3

Euh. Ça ne va pas bien.

Ma vie et le hockey.

Le hockey. On perd 2-0 dans la série, c'est pas la fin du monde, mais ça va mal quand même. On a de la misère à compter, Vincent Lecavalier joue comme un dieu, nos gars jouent comme des pieds. Mais on va s'en sortir. Comme contre les Bruins.

Ma vie. Je suis épais. Quand j'ai envoyé mon petit *email* à Julie, je me suis mis à avoir des attentes, et les attentes, c'est le pire. Dans ma petite tête, je me suis dit qu'elle me répondrait, je ne savais pas quoi, mais quelque chose, n'importe quoi, des mots, des phrases. Mais non. Pas de réponse, je prends mes *emails* toutes les deux minutes, et rien. Vide. Je n'aurais pas dû lui écrire, pour ne pas avoir à attendre. Mais là, c'est trop tard. J'attends, et rien. Vide. Ça ne va pas bien.

Go Habs *go*.

Le mardi 27 avril 2004 – Match 3
CANADIENS 3, LIGHTNING 4

Il fallait bien qu'une année comme celle-ci s'achève dans la déprime. Oui, bon, vous me direz que ce n'est pas fini, qu'on peut encore revenir, mais non. Je n'y crois plus.

Un genre de tristesse qui règne dans mon salon, une vapeur lourde qui embrouille l'écran de ma télé, mes yeux, ma vie aussi. Il fallait bien que ça s'achève sur une note de tristesse.

On allait gagner, il restait 17 secondes. On allait gagner, et puis non. Lecavalier sur un jeu niaiseux des plus ou moins Glorieux, petit *move* entre les jambes, Rivet qui admire le petit *move*, et on s'en va en prolongation. Et là, c'était écrit dans le plafond du Centre Bell, la défaite crève-cœur, pour torpériser la belle foule de Montréal, la torpeur des spectateurs qui ne veulent pas y croire. Et c'est ça : 3-0 dans la série. Ça finit jeudi. Je vous le promets.

***

La tristesse. La solitude. Le bonheur des autres. Le vide. L'absence.

Les mots-clés de ma saison, dans mon salon, devant ma télé 51 pouces.

Le jeudi 29 avril 2004 – Match 4
CANADIENS 1, LIGHTNING 3

Et c'est ça.

La fin d'une année. La fin d'une saison, belle saison quand même, avec des hauts et des bas, avec des victoires et des défaites, avec du hockey aussi.

Ça ne sent pas la coupe. Je suis désolé.

***

C'est niaiseux, j'avais presque des larmes aux yeux, quand j'ai éteint la télé. La nostalgie, le vide, l'été qui s'annonce vide. Et ça a cogné à la porte. J'ai ouvert distraitement, des presque larmes dans les yeux. C'était Julie.

—Tes amours, y ont perdu.

—Les amours c'est les Expos. Les Canadiens c'est la Sainte-Flanelle.

—Je sais.

—Y ont perdu, oui.

—J'ai pensé que t'aurais peut-être besoin de te faire consoler.

Je ne savais plus quoi dire. Elle non plus. On est restés debout, en silence, pendant des minutes ou des jours, je ne comptais pas.

***

La suite, je ne sais pas. Peut-être que ça va bien aller. Je ne sais pas. Je n'ai pas le goût de réfléchir. Je réfléchis trop, tout le temps trop. J'ai Julie dans mon salon, et pas de hockey, et toute ma vie devant moi, et toute la sienne. Et je veux en profiter. Voir si ça peut remarcher. Voir si je veux. Voir si elle veut.

Et arrêter d'écrire.

Je veux arrêter d'écrire, et commencer à vivre.

Table des matières

Collection 10
10

Cet ouvrage a été composé en Dolly 9,5/12
et achevé d'imprimer en mars 2008 sur les presses de
Quebecor World Saint-Romuald, Canada.

Imprimé sur du papier Quebecor Enviro 100 % postconsommation,
traité sans chlore, accrédité Éco-Logo et fait à partir de biogaz.

certifié   procédé   100 % post-   archives   énergie
            sans   consommation   permanentes biogaz
            chlore